JE NE VEUX PAS
MOURIR SEUL

DU MÊME AUTEUR

Douces Colères, essais, VLB, 1989.

Trente Artistes dans un train, essai, Art global, 1989.

Chroniques internationales, essais, Boréal, 1991.

Québec, essai, Hermé, 1998 ; Hurtubise HMH, 2000.

Nouvelles Douces Colères, essais, Boréal, 1999.

Un dimanche à la piscine à Kigali, roman, Boréal, 2000 ; coll. « Boréal compact », 2002.

La Seconde Révolution tranquille. Démocratiser la démocratie, essai, Boréal, 2003.

Une belle mort, roman, Boréal, 2005 ; coll. « Boréal compact », 2010.

Le Monde, le lézard et moi, roman, Boréal, 2009.

Gil Courtemanche

JE NE VEUX PAS MOURIR SEUL

autofiction

Boréal

© Les Éditions du Boréal 2010
Dépôt légal : 2ᵉ trimestre 2010
Bibliothèque et Archives nationales du Québec

Diffusion au Canada : Dimedia

*Catalogage avant publication de Bibliothèque et Archives nationales du Québec
et Bibliothèque et Archives Canada*
Courtemanche, Gil
    Je ne veux pas mourir seul
    ISBN 978-2-7646-2028-1
    1. Courtemanche, Gil – Romans, nouvelles, etc. I. Titre.
PS8555.0826J4   2010   C843'.6   C2010-940640-0
PS9555.0826J4   2010

À la première femme
qui parce qu'elle est la première
devient la dernière femme

Dans ce bar un peu snob, la serveuse m'enchantait et me réconciliait vaguement avec mes souvenirs de vie heureuse. Elle était un peu grassouillette, beaucoup trop jeune, pas très futée, mais sa gentillesse, surtout son sourire généreux effaçaient les bourrelets et la naïveté. Surtout, surtout, ses yeux brillaient. Des saphirs d'un bleu presque irréel, comme ces couleurs qui crèvent les écrans dans les pubs de télés HD, plus bleu que bleu comme dans la publicité de Tide qui lave plus blanc.

— Qu'est-ce que vous écrivez ?

— Mon testament.

Si je l'avais insultée ou giflée la réaction eût été identique. Regard figé, incrédulité, une lueur de terreur dans le bleu des yeux qui devient acier.

Jeunesse et testament évidemment ne font pas bon ménage.

Questions. Existe-t-il un endroit propice ou idoine pour rédiger son testament, ou encore des règles de bienséance qui commandent que cet exercice se fasse dans un lieu clos et sombre comme la mort que le testament annonce ? Celui qui écrit son testament doit-il se mettre en situation funèbre ? Doit-il s'installer dans un bureau mortuaire ou devant un notaire qui louche, s'isoler chez soi et allumer, pourquoi pas, quelques cierges ? Non.

Et entre le testament et la mort, quelques jours, quelques années même, peuvent s'installer qui fassent en sorte que le testateur modifie le document. Les gens prudents rédigent ce texte définitif comme ils contractent une assurance ou signent une hypothèque. Cela fait partie de la « planification financière ». Ce n'est pas mon cas. La pensée de ce dernier écrit me fut inspirée par l'annonce d'une mort plus ou moins prochaine.

Mais, quand on a vingt ans, on croit qu'on rédige son testament trente minutes avant que la mort se présente.

— Vous allez mourir ?

Elle est terrifiée la belle et jeune Valérie, et sa question me rend perplexe. Ma franchise était-elle justifiée ? Pourquoi accabler une inconnue de sa mort ? Ce n'est pas la crainte de perdre un client, c'est plutôt celle de parler à un futur mort, je veux dire un mort immédiat, un mort palpable, avec qui on entretient une conversation qui rend son visage aussi blanc que blanc.

— Oui, Valérie, mais pas demain et pas cette semaine et probablement pas ce mois-ci.

Mes propos ne la rassurent pas. Elle a les yeux brumeux. Je croyais que sa gentillesse venait des pourboires généreux.

— Je vous l'offre.

Elle remplit mon verre de pinot noir, comme on administre une potion magique ou verse un antidote.

— On ne dirait pas que vous êtes malade.

Elle a raison. Ce matin-là, avant le rendez-vous avec le médecin, dans le miroir, je n'ai vu que mes rides habituelles et des pupilles brillantes. Dans la douche, nul signe de fatigue, nulle douleur. Un matin comme les autres. Et puis le médecin a annoncé la maladie. Pourquoi ne m'a-t-elle pas inquiété avant. Pourquoi ne s'est-elle pas annoncée poliment pour que je l'accueille et en prenne charge immédiatement. Non, la maladie se glisse, s'insinue, s'installe silencieusement. Voilà, ce soir je ne ressemble pas à un mourant, mais je le suis.

Comment lui expliquer que j'écris mon testament maintenant dans ce bar parce qu'il y a une heure on m'a annoncé une mort prévisible à court terme, que je ne veux pas être seul dans mon appartement devant ces photos de mon passé qui me hantent et qu'en public on ne pleure pas en codifiant dans un texte légal la fin de sa vie et, surtout, le peu qu'on laisse.

— Je lègue à mon ex-femme…

J'aimerais ne lui léguer que mon amour. C'est finalement ma seule richesse. Mais l'amour n'est pas un meuble meublant. Et le mien ne fut pas suffisant. On peut léguer des armoires, des actions, mais pas des sentiments. Alors je n'écris pas : « Je lègue à Violaine mon amour. » Je crois que j'ai des livres de valeur, quelques économies, voilà ce qui prendra la place de l'amour dans « je lègue ».

Il y a deux styles de testament, le comptable et le littéraire. Le testament littéraire contient peu de chiffres alors que le comptable est totalement dépourvu de jolies formules, de phrases élégantes ou de déclarations amoureuses.

Mais je n'en suis pas encore aux phrases et aux dernières exclamations. Car, dans ce testament, je ne veux léguer qu'une chose : cet amour absolu qu'elle n'a jamais compris. Comment le dire ? Huit ans n'ont pas suffi. Alors, quelques lignes, quelques signes. Des mots, même inspirés par la mort qui rôde autour du stylo, ne seront toujours que des mots qu'elle ne lira qu'après mon décès. Peut-on léguer une douce caresse, un regard admiratif, l'ennui d'un parfum ? Non. Injustice.

« Montréal, 29 mars 2009
Moi, Gil Courtemanche, je lègue… »

Valérie je le sens veut lire ce que j'écris. Je lui montre la page de mon carnet.

— Vous n'avez pas envie de vivre ?

Je ne le sais vraiment pas. C'est le départ de la femme plutôt que la maladie qui répond, mais je suis un homme poli et respectueux. Je ferai silence sur mes maladies.

— Mais oui, Valérie, oui.

— Alors, il faut arrêter d'écrire votre testament.

— Pourquoi?

— Je vais vous donner envie de vivre.

Je ne lui ai pas dit qu'elle n'y parviendrait pas.

la vie

Ma sœur Françoise est optimiste, militante et active. Une vivante. Une vraie. Retraitée depuis peu, elle meuble vigoureusement ses temps libres. Cours de cuisine, promenade sur la montagne, observation des oiseaux, elle prend le monde à pleins bras, n'y trouve que des merveilles et des surprises. Je lui parle de ma peine d'amour et de mon cancer d'une façon qui me semble détachée. « Tu rencontreras une autre femme. » Mais non, Françoise, tu la connais Violaine et elle est unique. Ma sœur ne le croit pas. Une femme unique, ça n'existe pas. Et le cancer, c'est un désordre du corps. « Tu retrouves le calme en toi, tu dois reprendre possession de ton corps. » Et je fais quoi avec ces cellules folles qui se multiplient ? Tu luttes dans ton cerveau. Je veux bien essayer.

Elle me fait quoi, ma sœur, pour me guérir de ma mort et de ma peine ? Elle inscrit une observation de bernaches au menu. « Regarde ! » Elle s'extasie. Le vol des oiseaux dessine de jolis triangles, leurs formations étonnent par leur géométrie précise, mais ce ne sont que des oiseaux, des bestioles. Le vol mesuré et organisé de quelques oiseaux devrait me réconcilier avec la vie ? Mais, ma sœur, tu ne connais ni la peur de mourir ni l'odeur de Violaine. « Françoise, on ne fait pas l'amour avec des oiseaux. »

Elle me regarde comme si j'étais le dernier des cons. « La vie, Gil, la vie, les gens qu'on aime, le ciel, les arbres qui poussent. Regarde, admire. » Elle respire profondément comme si elle aspirait toute la beauté du monde.

Je n'ai jamais admiré que les corps des femmes que j'aimais, et ce n'étaient pas des bernaches, ou encore l'intelligence de quelques hommes, des livres, des tableaux. Des idées m'ont séduit. Ma sœur, même seule et malheureuse, ce qui n'est pas le cas, parviendrait à trouver le bonheur ou l'oubli en se laissant caresser par les rayons du soleil, en écoutant religieusement la musique de la pluie sur l'auvent. Elle a une force, une certitude qui lui permet de jouir de tout ce qui est vivant.

Ce pouvoir m'a toujours échappé. Je suis obsédé par la laideur, l'injustice et la bêtise, toutes choses largement répandues dans le monde. Et le coucher du soleil orangé sur une mer calme, les cris des oies qui s'abattent sur les grèves de Beauport, le froissement des feuilles dans une forêt, le crissement de mes pas sur la neige durcie par une pluie de début de printemps, rien de cela ne me satisfait, ne m'apporte joie ou contentement si je ne le partage pas avec la femme que j'aime.

J'aime vivre, mais je n'aime pas la vie. Donc, je critique sans cesse, je me réjouis rarement, me détends peu souvent.

Ma sœur qui veut m'emmener aujourd'hui au Jardin botanique pour l'exposition de papillons ne comprend pas. Si je suis seul, le soleil couchant m'indiffère. Avec Violaine, il m'enchante. Comme les bernaches, les oies et, comme dirait Prévert, le raton laveur. Ma sœur m'aime beaucoup et tente à sa manière de m'aider, mais elle ne sait pas que je ne me suffis pas à moi-même. Voilà le hic dans sa thérapie qui se fonde sur l'autosuffisance.

Mais je suis totalement dépendant, Françoise. Oui certes, j'ai des idées, j'ai écrit des livres, je me prononce sur les sujets les plus complexes, dans les conversations je donne une impression de certitude qui froisse parfois, mais Françoise, comment te dire, quand je rentre à la maison, je me demande qui je suis et n'ai trouvé d'existence réelle que dans les bras de Violaine. Cela ne me trouble pas d'avouer que je n'existe que par elle, même si j'ai fait beaucoup sans elle. Françoise me propose des cueillettes de champignons pour remplacer Violaine ou me distraire ou oublier. Elle se dévoue vraiment et cela m'émeut. Ma sœur est une femme admirable. Je cherche des morilles avec obstination dans un boisé de feuillus où bien sûr ne se cachent pas de morilles. Françoise remplit son panier de champignons de printemps qui n'ont pas plus de saveur que les pleurotes du supermarché. Violaine adorait le lapin aux morilles. Françoise signale la beauté du ciel et la douceur du vent pour la saison. Elle en tire un véritable plaisir. Je ne vois rien, ne sens rien. Pas de ciel, pas de vent.

J'ai lu, j'ai vu, j'ai su que la nostalgie est un bien qui s'entretient, qui se cultive. Qu'on peut se complaire et entretenir sa tristesse. Et Françoise gentiment m'explique comment il faut passer à autre chose.

Accepter, passer à autre chose, refaire sa vie. Ce sont des formules de survivants, de résilients. Continuer ne m'intéresse pas. La recherche de petites joies et de plaisirs dépourvus de sens ne me soulage pas.

Je comprends son raisonnement et sa démarche. Elle a identifié mes plaisirs anciens. Le vin, la cuisine, les champignons, les paysages. Françoise a conclu que ces jouissances possédaient une valeur intrinsèque et, pourquoi pas, thérapeutique. Oui, le vin existe et m'enchantait. Mais chaque vin que je bois est un événement ancien, un rappel de la vie partagée. J'ai eu avec Violaine cette habitude de tout mettre dans chaque petit geste et surtout de me souvenir. C'est nous à Paimpol, nous à la maison dégustant l'osso buco sur lequel je travaillais méthodiquement et dont le résultat m'inquiétait. Et je demandais : « Pas trop de tomate, pas trop de zeste de citron, et le persil ? » Plutôt que de lui tenir la main, je faisais l'osso buco ou le tartare, ou le saumon à l'unilatérale. Ma tendresse était un restaurant.

La femme ne sait pas qu'on choisit les légumes et les fruits en pensant à elle, qu'on s'interroge à propos des fromages en imaginant son plaisir. Les aliments sont les fleurs qu'on apporte. Je croyais que le plaisir des fleurs et celui d'un bon repas pouvaient remplacer la main que je ne tenais pas quand nous marchions.

Ma sœur m'a convaincu de devenir bénévole dans une cuisine communautaire. Le raisonnement est infaillible. Partager son humanité, être confronté au malheur des autres, apprendre de leur résilience. Je hais ce mot qui prétend annuler toutes les douleurs comme une aspirine. La douleur existe. Elle peut tuer. Miner les âmes les plus fortes et les réduire à un état cadavérique. Elle peut éteindre l'intelligence, la confisquer, la rendre inopérante. La douleur n'est pas un passage, ce peut être un état, un mode de vie. On peut l'apprivoiser, la gérer. Cela ne nous rend pas plus heureux ou vivant. Cela nous rend douloureux, contrôlé comme un malade chronique qui gère sa maladie. Un diabétique de la douleur.

Évidemment, c'est dans le sous-sol d'une église qui sera bientôt transformée en condos. Le prêtre, qui porte des vêtements d'ouvrier mais qui prêche l'abstinence pour lutter contre le sida, empeste les moisissures de son presbytère comme des Italiens que je connais transportent avec eux le parfum de la sauce tomate. C'est infiniment plus agréable. « Votre sœur m'a dit que vous vivez des moments difficiles. Si vous voulez qu'on en parle. » Ma sœur est trop généreuse et trop bavarde. Non, monsieur le curé, je suis venu ici pour hacher des oignons, faire du pâté chinois, du pain perdu. En fait, je suis devenu bénévole pour plaire à ma sœur, pour la rassurer sur mon envie de vivre. Cela fait partie des gentillesses qu'on a en fin de vie quand elles furent rares auparavant. Une façon de demander pardon pour la distance et l'indifférence.

Le curé est teigneux. Ils le sont souvent au nom de leur devoir de servir leurs ouailles. Attendez qu'on vous fasse signe du doigt comme au restaurant, puisque vous êtes à notre service. « Vous êtes certain que vous ne souhaitez pas vous confier ? » Pourquoi ce genre de curé ne parle pas comme tout le monde : « Vous êtes certain que vous ne voulez pas parler ? » Oui peut-être, je voudrais parler, mais certainement pas avec vous. La patronne de la cuisine est une lesbienne triste et morose comme moi je suis un hétéro triste et morose. Roselyne a entendu la conversation. « Peine d'amour ? » Oui, et cancer. « Join the club. »

Nous avons terminé le pâté chinois et un vague ragoût de légumes dans lequel baignent quelques cubes de bœuf. Le curé est retourné dans son presbytère moisi, les autres bénévoles sont partis. Roselyne débouche une bouteille de vin, vin de dépanneur mais vin quand même. « Parlons. » Ce n'est pas une invitation, mais plutôt une injonction, un ordre ferme.

« Tu ne coupes pas les oignons comme les autres. » Je coupe les oignons finement, surtout quand ils doivent s'incorporer à une préparation de viande. « Tu ne connais pas notre monde. » Non, je ne connais rien d'Hochelaga-

19

Maisonneuve, sinon les statistiques à propos de la pauvreté, de la délinquance, de la criminalité. Mais a-t-on besoin de connaître les gens pour qui on coupe des oignons? « Tu viens nous aider pour oublier ta tristesse? » Non, pour faire plaisir à ma sœur et lui donner l'impression que je vais continuer à vivre. Et elle va le dire à maman à qui je n'ai pas le courage de parler car je ne sais comment lui mentir et que, si je lui dis toutes ces vérités, le départ de Violaine et le cancer, cela va la tuer d'un seul coup. Sa petite tête d'oiseau va s'effondrer sur la table. Je le sais.

— Tu n'as pas vraiment envie de nous aider.

— Non, mais quelle importance, je coupe bien les oignons et je fais un bon bœuf bourguignon. Je ne te parle pas de mon osso buco parce que c'est trop coûteux. Je pourrais faire des spaghettis carbonara si c'est dans vos prix, avec du bacon pour remplacer la pancetta et du cheddar plutôt que du parmesan. Mais je peux cuisiner tout ce que vous voulez et je n'ai rien à faire. Faut-il avoir la vocation pour se rendre utile?

— Non, demain, tu fais des spaghettis carbonara avec du cheddar et du bacon.

Voilà, je quitte le sous-sol de l'église avec un projet de vie. Demain je reviens pour faire des spaghettis carbonara. Après demain? Je refuse d'y penser.

la mort

Quand Violaine m'aimait, mon miroir n'existait pas. Je n'y voyais rien sauf l'image d'un homme aimé. Peu importe l'état du visage, je le croyais supportable à défaut d'être beau, puisque que j'étais aimé.

Maintenant, je me regarde sans indulgence. Je constate les pattes d'oie sous les yeux, les rides creusées, les lèvres gercées. Ce n'est pas tellement une impression de laideur, mais une annonce de mort prochaine. Cette seule vue pouvait justifier son départ. Le matin devant le miroir, je prends la mesure de ma détresse. Ces rides me rappellent tous les excès de cigarettes, d'alcool. Je ne les regrette pas. Je croyais qu'on m'aimait ainsi. Mais, je constate que ce visage le matin n'inspire pas l'amour parce que, moi, ce visage me dégoûte. Il me dégoûte même le soir quand les rides s'atténuent. Si je ne parviens pas à me regarder, comment quelqu'un d'autre aurait pu le faire? L'annonce de la maladie a aussi modifié mon regard. Le miroir est un infirmier, il me parle.

Cette rougeur légère sur la joue gauche annonce peut-être une métastase. Au bout du compte, je constate que je me regarde sans indulgence aucune pour la première fois de ma vie. Je me vois seul et malade, et ce n'est pas joli. Je prends soin de moi, j'essaie de me faire une beauté dans l'espoir de séduire, je me rase, me coiffe, me parfume, choisis judicieusement les vêtements qu'elle acheta pour moi dans lesquels je me glisse comme si je me couchais en elle. Cela est sans effet. Il y a mon âge bien sûr et, dans ces endroits que je fréquente, les femmes ont l'âge de celle qui m'a quitté. C'est vers elles que je tourne mon regard désespéré. Elles sont mes infirmières, comme le miroir, détectent à la fois la tristesse et la maladie.

la mort

Il faut être courageux pour fréquenter un hôpital quand on est malade. Il faut vraiment vouloir guérir. Les murs affichent des couleurs de tumeurs malignes, des beiges moribonds, des verts fanés, des jaunes épuisés. Selon sa maladie, le patient est libre de choisir sa couleur. Je crois que mon cancer est beige et le couloir dans lequel j'attends depuis deux heures est jaune. Sur des civières passent des malades intubés et maigrichons comme si on voulait nous annoncer notre état prochain. Ils vont mourir bientôt et on nous les exhibe comme des publicités de l'avenir qui nous attend. On attend toujours au moins une heure qu'on tente de remplir en feuilletant des magazines qui ont dix ans, assis sur des chaises ou des banquettes qui ne sont vraiment pas ergonomiques. L'hôpital ne se préoccupe pas du mort en puissance. Il peut se geler les fesses sur une chaise inconfortable de plastique. Je crois qu'on agit ainsi pour que le malade se réconcilie avec l'idée de sa mort possible, qu'il y pense puisque les lectures sont sans intérêt, qu'il se plonge dans son désespoir sur sa chaise de plastique. Une sorte de conditionnement pédagogique. Cela permet au médecin de ne pas prendre de détours dans son cagibi verdâtre qui n'est pas la couleur que j'ai choisie. « Vous avez peur ? » Pas de précautions inutiles, cela prendrait du temps. Bien sûr que j'ai peur. Comment expliquer à cette femme froide et méthodique que je n'ai pas envie de vivre, mais que j'ai peur de mourir ? J'essaie. Elle ne comprend pas pourquoi la peine d'amour me semble plus tragique que le cancer. La couleur de la mort. Je l'imagine blanche. Mais à l'hôpital, le blanc n'existe pas, ni le bleu, ni le rouge et surtout pas le noir. Le décor de la mort se décline en teintes anonymes et bêtes. Des couleurs administratives choisies pour n'offenser nul regard. On tente de peindre des murs dépourvus d'émotion et de sens. Mais finalement on ne réussit qu'à trouver les couleurs de la mort annoncée. Les murs d'un hôpital disent au malade qu'il est gravement atteint, même si ce n'est pas le cas. Par contre, le mobilier affirme le contraire. Chaises et banquettes sont faites pour des gens en bonne santé, pour des personnes qui peuvent se tenir droites, qui n'ont pas le dos voûté. On n'imagine pas qu'on puisse faire attendre durant des heures un mort en sursis sur des sièges si inconfortables. Car quand je m'assois sur cette chose de plastique, je tremble intérieurement, j'ignore les résultats de la biopsie, mais plus l'inconfort me saisit, plus ma peur augmente. Ces gens qui meublent les hôpitaux veulent nous préparer au pire. Ce lieu où commence la fin annoncée de la vie, une fin prochaine, est organisé par des fonctionnaires en bonne santé. Les couleurs seront celles qui résistent le mieux à la saleté, et les pièces de mobilier, les moins coûteuses. On pense aux détergents nécessaires pour les murs, au poids du mobilier, à la multiplicité des fonctions qu'il peut remplir, ce qui signifie qu'il doit passer du couloir d'attente à la cafétéria du personnel. Un hôpital n'est pas un salon ni une salle de réception, se disent les gens qui construisent les hôpitaux. Il faudrait que les malades dessinent les hôpitaux. Du moins les corridors et les salles d'attente, ces lieux mornes et misérables dans lesquels ils inventent et entretiennent leurs peurs. Car c'est ce qu'on fait dans un corridor beige, en feuilletant un magazine spécialisé dans la médecine nucléaire, en attendant deux heures, même si on est arrivé en retard de quinze minutes et qu'on est passé au guichet d'admission, car c'est un guichet, pas une réception, et que nul sourire ne vous a accueilli. On vous appellera. Dans ce couloir, assis sur des chaises inconfortables, tremblent comme moi une trentaine de personnes qui savent ou ne savent pas encore. Nous attendons le verdict. Attendons le Dieu tout-puissant qui est le médecin qui ne se promène jamais dans le corridor, qui jamais ne vient saluer ses ouailles inquiètes. Il faut comprendre. La compassion ne fait partie d'aucun traitement reconnu contre le cancer du larynx ou de la gorge. Mais j'aimerais bien des murs plus jolis, des sièges plus confortables, des magazines qui n'ont pas deux ans, un mince sourire à la réception, l'impression de ne pas déranger l'employée quand je lui annonce ma maladie au guichet et qu'elle me dit sans me voir qu'on m'appellera. Et j'attends longtemps et j'ai peur longtemps.

la mort

La peur de la mort ne m'est pas venue de l'annonce de la maladie, elle m'est venue de cette femme qui m'a quitté. Il y a deux morts, celle qu'on attend, l'inévitable terminal, et l'autre, bien pire, sentir quotidiennement qu'on ne vit plus, que le soleil n'est qu'un astre, la pluie un phénomène météorologique, les humains des créatures. La mort permanente, c'est vivre dans un dictionnaire. Rien de concret, de lourd ou de goûteux. Des définitions seulement. Voilà, je mange un homard, crustacé qu'on pêche dans le golfe du Saint-Laurent ou sur les côtes de la Bretagne. Les asperges sont vertes ou blanches, c'est selon, le vent est doux ou violent, c'est selon. Ni le homard, ni les asperges, ni le vent ne portent un sens. Ils ne contiennent pas de plaisir ou de rejet. Ce sont des mots. Je me plais à aligner les mots, mais je suis incapable de vivre avec des substantifs. Ils sont comme l'eau, inodores et sans saveur. Ces mots me renvoient au temps où j'étais vivant, ils me rappellent le vent et le homard de la Bretagne, mais ils ne sont que tristesses dépourvues de goût et de furie. Je mange des souvenirs. J'entends le passé agiter les arbres et les feuilles, fouetter la pluie froide. Quand on est mort, la peur de vivre est atroce.

Mais quand on est mort et qu'il faut combattre la maladie, le chemin n'est pas aisé. Pourquoi se battre avec la maladie quand on ne vit plus ? Parce que vivre est une sorte de devoir, de dignité, d'obligation. La naissance nous condamne à vivre et puis, après, tout le reste, les gens qui nous aiment en particulier. Ils ignorent comment ils nous condamnent au malheur pour que le leur soit moins grand. Ma mort tuera maman. Je ne veux pas tuer maman bien qu'elle soit assez vieille pour mourir. Je ne veux pas être son infarctus.

Alors pourquoi continuer seulement pour soi, pour ce soi si amaigri, si aride comme un oued vidé de son eau par l'été et qui a même oublié la caresse de l'eau ? Voilà le plus grand mystère du vivant placé devant la mort. Pourquoi souffrir autant pour vivre encore quelques années ? Des années dont on sait qu'elles seront totalement dépourvues de plaisir et de jouissance et surtout d'amour. Pourquoi persiste-t-on à vivre sans amour ? À mon âge, une seule réponse. Retrouver le même amour, pas le réinventer, le retrouver. Et même si je sais que cela ne se fera pas, l'espoir de la revoir, de partager encore cette vision du monde que nous avions en commun. La peur de mourir, c'est un peu la peur de ne pas la revoir, même si l'idée de la voir me tue.

Cette autre peur. Celle du silence.

Le croyant attend des chants joyeux, des anges peut-être, dans un ciel naïf et pastel. Et peut-être, de loin, la vision de Dieu sur son trône. Mince espoir, mais espoir quand même, rêve de vie permanente, malgré la mort. Dans les corridors oncologiques que je fréquente, je peux détecter les croyants. Ils parviennent à sourire malgré les retards du médecin, ne vérifient pas la date de publication des magazines, ils attendent le Ciel.

J'attends le rien.

Je n'ai jamais imaginé ma mort. Voilà une éventualité qu'on repousse même si on en connaît l'absolue certitude. Puisque mon amour, ma femme, est beaucoup plus jeune que moi, je me suis vaguement imaginé très vieux, mourant de vieillesse, mourant dans ses bras doux. Cela aurait été une mort paisible. Elle ne sera pas à mon chevet quand le silence et le rien arriveront. Et si elle l'est, ce ne sera pas comme une amoureuse, mais comme une passante affectueuse. Je ne partirai pas le cœur gonflé d'amour. Je partirai comme une baudruche vide, une bête épuisée et triste.

La peur, c'est le silence. Ne pas savoir ce qu'on laisse, autant la haine que l'amour, l'indifférence que l'interrogation. Car on ne le dira qu'une fois que je serai mort. Pas nécessairement durant le service funèbre, surtout pas durant cette cérémonie d'hommages souvent convenus, parfois sincères. La peur, c'est de ne pas entendre les mots de mon amour après ma mort. La crainte qu'elle ne soit pas un peu triste.

La peur, c'est le silence qui remplace la vie.

J'ai très peur.

la vie

Quand on est malade, vivre est un travail. Et on ne sait jamais si ces efforts souvent pénibles ont un sens, surtout quand seul le devoir de durer guide nos pas chez le médecin et dans les corridors morbides des hôpitaux. Le devoir de durer qui n'est pas comme disait Éluard « le dur désir de durer ». Comment réconcilier la perte de l'envie de vivre et l'obligation de poursuivre?

Tous ces gens qui m'auscultent, me tripotent, m'intubent, m'anesthésient, vérifient mon réveil, me donnent des rendez-vous, me font la médecine nucléaire, toutes ces personnes généralement chaleureuses et douces présument que je me bats pour vivre parce que je tiens à la vie. Cette présomption justifie leur travail et leur patience remarquables. Le malade veut guérir pour vivre. J'ai tenté d'expliquer à mon médecin que je souhaitais guérir pour ne pas mourir. Ce n'est pas la même chose. Je travaille pour prolonger la tristesse de ma vie. Et je le fais consciencieusement, avec une ponctualité

31

exemplaire. Je respecte les posologies et les injonctions. J'ai arrêté de fumer (presque), mais je sais que je le ferai complètement quand les traitements de radiothérapie débuteront.

Avec le médecin, j'ai vaguement évoqué une situation difficile sur le plan sentimental. « Et alors? » m'a-t-elle dit. Et alors, docteur, bordel, vous ignorez ma principale maladie, le mal qui ne détruit pas que mon larynx, mais mon cœur, mon ventre, mes pieds qui marchent à peine, ma bouche qui a perdu le sourire, mes rides qui accusent ma nouvelle laideur, celle que je ne connaissais pas mais que je découvre chaque matin et qui retarde le moment où je sors de chez moi, car vers la fin de l'après-midi le visage semble moins ridé. Vous ne connaissez pas la peine de vie. C'est une maladie terrible pire que tous les cancers et tous les diabètes. Malade, on se dit qu'on peut guérir. Des médicaments, des traitements existent. Les médecins émettent des pronostics qui s'appuient sur des données scientifiques. On y croit si on souhaite vivre. On s'y accroche, même si jamais le vol des oies blanches ne réussit encore à émouvoir. Ce n'est pas mon cas. Comment expliquer que la disparition de l'amour détruit le soleil et finalement tout ce qui pouvait être source de plaisir? Je ne le sais pas. Je ne savais pas que l'amour était un puits si profond et si insondable. Je ne savais pas mon amour. Tu me quittes et ce sont les oies blanches qui meurent, mon regard qui devient aveugle, mes oreilles sourdes. La musique qui en d'autres temps tristes me maintenait en vie m'indiffère maintenant. Les livres me semblent dépourvus de sens ou me renvoient à toi. Ils sont des pierres et des fleurs d'un jardin ancien. Tu me dis par mail comme les médecins qu'il faut conserver le moral. Je te remercie de tes conseils, ma chérie, comme une mère que tu fus pour moi, adolescent insoucieux même à soixante ans. Adulte inconséquent, ignorant de ses responsabilités, de ses obligations.

Avant le début de la radiothérapie, on doit extraire toutes ces dents cariées et malades qui faisaient que mes baisers te déplaisaient. Je ne savais pas l'odeur de ma bouche, ma chérie, je ne savais pas. Je t'aime. Si j'avais su.

la mort

Il faut revenir au début, avant la maladie.

J'ai senti la mort se glisser en moi. La mort s'annonce, elle prévient et s'excuse presque de prendre des formes inattendues. La mort, la mienne, ne vient pas secrètement comme une voleuse. La perspective de la mort, une sensation de froid au bout des doigts, une arythmie cardiaque incontrôlable, la vue qui vacille, une peur d'aller dormir, la terreur de demeurer éveillé.

La mort s'est glissée en moi par Internet. On n'attend jamais de grandes nouvelles en ouvrant ses courriels. Des invitations, des saluts d'amis lointains, des communiqués, des publicités de loteries, des millions proposés par des Africains assez cons pour croire que je vais leur envoyer 10 000 $ pour les aider à recouvrer un héritage.

La mort est plus subtile, c'est un cancer qui s'annonce, un courriel qui dit : « Je te quitte. » Et quelques raisons suivent. Elle est en Afrique, moi en Europe. Je croyais que nous étions heureux et me voici mort ou presque par un simple courriel.

Je crois que le bonheur tuait l'effet de la cigarette sur mes poumons et que le vin bu en sa compagnie ou près d'elle prévenait toute cirrhose. Je croyais profondément que le bonheur et l'amour protégeaient contre les maladies. Je croyais aussi que mon amour était si puissant qu'il occultait toutes mes faiblesses. Et c'est bien de ces faiblesses dont mon amour me parle dans ce courriel qui me gèle le bout des doigts et qui ouvre la porte à la mort qui prend ses aises autant que son temps. Elle est arrivée il y a quinze minutes, a choisi de prendre logis pour le moment dans un lieu de l'estomac dont je ne connais pas le nom. Elle se manifeste chaque fois que je pense à la femme qui me quitte : une sorte de crampe légère, de mouvement de boyaux inconnus qui ressemble au trac ou à la peur.

Sans Violaine, je le sais, les maladies prendront bientôt prise sur mon corps fragile et mal entretenu. Elle était mon système immunitaire, l'antibiotique absolu. Elle souriait, même légèrement, et mon taux de mauvais cholestérol chutait. Mon médecin ne comprenait rien à ma santé. J'aurais dû me décomposer déjà, souffrir de mille petites tares de vieillesse. Il les cherchait, certain de les trouver, mais, résigné, humilié dans sa science par mon inexplicable forme, il rangeait son stéthoscope et me demandait : « C'est quoi, le secret ? » L'amour, mon vieux, le bonheur, l'admiration, Violaine. Je ne crois pas que l'homéopathie ait quelque valeur scientifique. L'amour est peut-être la seule huile essentielle qui puisse détourner le corps des méandres marécageux qu'il a lui-même formés. Pas tous les amours, bien sûr, mais le mien.

C'est bien de mon corps dont elle parle. Ce corps pour lequel je n'ai aucun respect, ce corps que je ne lave pas tous les jours, ces dents qui carient et qui vont bientôt tomber, mais elle parle aussi de mon âme, de mon cœur qui n'est pas un cœur, de mes pensées qui sont hégémoniques, de mes paroles qui manquent de respect pour les autres, de mon indifférence, de mon apathie, de mon manque de compassion. Toutes ces maladies dans un seul courriel que je lis le matin en me levant, la tasse de café qui tremble entre mes doigts. Je ne peux être le monstre qu'elle décrit. Et si je l'étais? Si je l'étais, la mort aurait raison.

L'homme qu'elle décrit ne mérite ni son amour ni la vie. Il est juste que la mort s'installe chez lui et manifeste continuellement sa présence sourde, qu'elle mange et dorme en sa compagnie. Je devrais peut-être lui parler, l'affronter. Dire : « Mort, vous avez raison, mais est-ce que le bonheur et l'insouciance doivent mener automatiquement dans vos bras? » Je sens qu'elle répond oui. La mort est implacable dès qu'elle sent une proie affaiblie. Comme une hyène ou un chacal, elle attend, suit à la trace l'animal blessé. Elle s'est installée confortablement entre la première et la deuxième côte flottante. Elle gratte parfois la nuit et je m'éveille. Elle se manifeste par un picotement quand un verre de pinot noir installe une idée de plaisir et de jouissance dans ma bouche. Elle me rappelle l'interdit de vivre, elle se manifeste subtilement quand j'esquisse un maigre sourire. Mon cœur s'emballe et fait des soubresauts. Il ne bat pas la chamade, il cogne contre la cage thoracique comme s'il voulait exploser ou me percer et sortir et partir ailleurs dans un autre corps. Cette mort couchée, lovée en moi contrôle tout.

la vie

Ce mot a plusieurs sens selon qu'on a dix ou soixante ans, de même que le mot « mort ». Notre âge donne sens à ces deux mots. À dix ans, on est immortel. La mort est étrangère et la vie, normale et naturelle. On vit et on ne meurt pas. Par après on vit sans le savoir et sans penser à la mort, jusqu'à ce que la maladie nous saute dessus ou que la vie disparaisse. L'absence de vie n'est pas la mort, l'absence de vie, c'est le vide dans lequel la mort se glisse comme un renard dans sa tanière. La vie pour moi, c'est Violaine, parce qu'elle m'a donné vie.

On naît plusieurs fois. Les premiers pas, le premier caca sans aide de maman, la première bicyclette, le premier baiser, la première baise, le premier mariage, le premier enfant. Chaque fois, une nouvelle vie s'annonce, pleine de promesses. Une nouvelle naissance. Mais il y a aussi la dernière vie, celle à laquelle on a renoncé parce que les premières vies n'ont pas respecté leurs promesses. Cette dernière permission d'exister, cette rémission inattendue, c'est Violaine qui me l'a donnée. Appelons cela la Renaissance, avec, comme l'époque que le mot désigne, cette richesse luxuriante, ce débridement de beauté plastique, ce regard renouvelé sur le monde. Le soleil qui dissipe toutes les brumes.

Violaine est ma seconde mère. Elle m'a redonné la vie alors que je l'avais épuisée.

La vie s'était présentée sous les traits d'une jeune femme emmitouflée dans des vêtements de 31 janvier. Pelure sur pelure, sourire timide en même temps qu'assurance. Le café est morne, j'y défile ma solitude et ma démission depuis des années. On est tous plus ou moins paumés dans cet endroit. Elle sort d'un large sac un bloc-notes. Je vois les questions numérotées, rédigées studieusement, sans ratures. Tout est propre et ordonné. Et les questions se succèdent, elle prend des notes furieusement, levant rarement la tête. Elle a l'élégance des femmes de goût qui n'ont pas d'argent mais surtout une fermeté dans le regard qui la rend plus vieille que ses vingt-huit ans. Elle est jolie, elle le demeure jusqu'à ce que, les questions et les réponses terminées, je regarde ses yeux. Elle devient belle car sa beauté s'organise autour de ses yeux, le visage se fait doux et délicat, malgré les cheveux mal coiffés, le visage devient lumineux et le sourire, divin.

la mort

C'est la mort chez moi. Un appartement mal entretenu, deux chats pelés et malades qui font leurs crottes partout malgré la litière, que je ne change pas souvent. J'ai été riche et célèbre, je ne le suis plus, je me suis enfoncé dans une profonde dépression. Je joue, je bois, je ne fais rien. Je ne suis rien. Sauf ce livre que j'ai écrit et dont elle voulait parler et qui me redonne un peu de fierté.

la vie

Pourquoi accepte-t-elle d'aller manger dans ce restaurant libanais que je lui propose ? Elle me dira plus tard qu'elle était intriguée et qu'elle n'avait rien à manger à la maison. Le mystère et la raison. Le mystère qui est l'audace, la capacité de sauter dans la vie, la raison qui évalue ses propres passions. Nous allons dans un bar que je ne fréquentais plus parce que je devais cent dollars au propriétaire. Je parle, je parle, elle écoute, elle écoute. Je n'ai pas envie de séduire, j'ai envie d'aimer.

la mort

Depuis que je suis tout petit, je me sens supérieur aux
autres, plus intelligent, parce que j'ai gagné le prix du
petit garçon le plus intelligent de Montréal à neuf ans,
parce que je suis bon au ballon-chasseur et au jeu du
drapeau, parce que je patine vite et marque beaucoup
de buts au hockey. Je me sens déjà adulte et regarde mes
frères et mes sœurs comme des enfants. Par contre je ne
m'aime pas. Je me trouve laid avec mes grosses babines
et mes dents croches. Très jeune, j'ai choisi de négliger
mon corps et de ne me préoccuper que de mon esprit,
et surtout de ne pas m'occuper des autres. Je croyais à
tort que l'admiration pour le talent pouvait remplacer
l'affection. Cette mort qui s'insinue en moi, elle était là
depuis tout petit, mais quand on est petit on ne sait pas
lire la mort.

la vie

Violaine me parle de sa famille. C'est la famille idéale. La mienne est distordue, compliquée, tout sauf harmonieuse. Un monde de rivalités qui remontent à l'enfance, à mon mépris pour certains, mais aussi à un entêtement atavique chez nous. Nous détenons tous la vérité et n'aimons pas le compromis. J'ai envie d'une famille. Je dis : « J'aime la famille. » Cela la rassure, je le sens. Je la vois entourée d'enfants, je ne sais pas si ce sont les miens ou ceux de son frère ou de sa sœur. Je sais que les enfants lui vont bien comme un vêtement qui illumine le corps, et ça, c'est vrai, j'aime les enfants. Mais je suis un mauvais père.

la mort

La mort, elle fait son nid à tous les moments de la vie de la victime, qui poursuit son chemin aveugle sans deviner qu'elle creuse sa tombe. Anne-Marie a une beauté sombre. Ma fille rêve d'une famille que je ne lui ai pas donnée. Elle a besoin d'un père présent, je suis absent. Je vais d'amours tristes en aventures banales, de combats futiles en colères excessives, le cercle d'amis se restreint, les emplois se font plus rares. Mais l'admiration pour le talent demeure. Je n'aime pas le mari de ma fille et j'en prends prétexte non pas pour l'oublier, mais pour la laisser le long de sa route. Elle me semble heureuse avec un con. Tant mieux pour elle, mais je ne souhaite pas faire partie de ce bonheur idiot. Je ne le sais pas, mais elle pleure mon absence et mon indifférence. Sans vrais amis — pourquoi en aurais-je eu? — sans femme aimante, sans but sinon d'être moi, je bois, je batifole, je m'éclate, je gaspille. Pas un seul moment je ne réfléchis. Je me complais dans mes douleurs injustes. Personne ne me comprend. Je suis boycotté par la profession. Je ne comprends pas qu'on ne m'aime pas. Je dis, tenant la tête haute, que le travail n'est pas une garderie ou un cercle d'admiration mutuelle. Je dis tout et rien surtout à la fin de la soirée quand je suis ivre. Ma fille, elle trime, avec trois enfants et un mari pas toujours facile que personne n'aime dans la famille, qui est plus un jury qu'une famille. Je fais partie du jury. Et sans complexe, quand au bout de mes économies j'ai besoin d'argent pour une folie, je me rends chez ma fille, qui a hérité de sa mère, morte il y a peu. C'est la seule fois, je crois, que j'ai été près de ma fille, la mort de sa mère. J'étais au Rwanda quand j'ai appris le cancer qui la rongeait. Anne-Marie qui avait un peu plus de vingt ans a tout pris en main, une vraie femme africaine responsable et posée, habituée à faire face aux drames et aux tragédies. Après la mort, sans rien me demander, les assurances, le notaire, les funérailles. Nous étions assis ensemble durant le service funèbre, au grand dam de ses parents. Là, j'étais père de ma fille, mais j'ai vite oublié. Son mari était si moche. Elle devint enceinte. Je crois, je ne suis pas certain, que je ne voulais pas être le grand-père d'un enfant de cet homme. J'oubliais la mère qui était ma fille et surtout qu'elle était heureuse. Je ne parvenais pas à jouir du bonheur de ceux que j'aimais. Est-ce que je l'aimais ? Oui en théorie, mais en pratique… Mais la mort savait fort bien que j'aimais peu. J'avais la générosité et l'affection conceptuelles. Un enfant africain chétif me faisait pleurer, l'emprisonnement illégal d'un Palestinien me mettait dans tous mes états. Je parlais éloquemment des sentiments, de la famille, de la compassion, de la solidarité, mais j'en avais une vision mondiale. Les malheurs voisins, les déceptions domestiques des proches me semblaient sans grand intérêt, leur solitude ne m'interpellait pas.

Alors la mort et la vie se sont présentées presque en même temps. Elles étaient reliées par ce livre qui te menait à moi. Le succès et l'amour, alors que je croyais tout perdu et que, quelques mois auparavant, je parvenais facilement à m'imaginer assisté social ou clochard. Ce succès et cet amour qui naissait confirmaient ce que je pensais : tout le monde s'était trompé et j'avais toujours eu raison. Le succès confirmait mon talent, et ton amour, Violaine, la qualité de ma personne.

Pourtant, je me connaissais de multiples défauts, je laissais mon chat mourir de la gale, je lavais mes draps le moins souvent possible, je m'étais habitué à une sorte de médiocrité physique, à une laideur de l'environnement, j'étais conscient de tout cela, mais ton amour si soudain m'a convaincu qu'on pouvait m'aimer comme je croyais être. Je m'étais convaincu que mes faiblesses faisaient partie de mon être et peut-être, pourquoi pas, de mon charme. Écrivain broussailleux, négligent, joueur, picoleur, irresponsable, mais par contre charmant, drôle, capable de douceur, gourmet, intelligent, engagé. J'avais cru que Violaine prenait la totale sans discuter, sans craindre. Puis je n'ai rien vu parce que, pour la première fois de ma vie, j'étais absolument heureux. Le bonheur rend aveugle, surtout si on croit que c'est un état permanent. Et puis le bonheur accordé à un homme distrait l'éloigne des autres.

la vie

Je reprends les choses froidement et cruellement. Je ne m'aime pas, je me satisfais de moi-même. Avant de faire la connaissance de Violaine, je ne suis plus rien, sinon un succès de librairie, mon cœur s'est vidé de toute affection, je me suffis à moi-même dans une sorte d'état de léthargie et de déni des autres.

Mais Violaine me prend dans ses bras, me noie d'amour et d'admiration et prend tout en main. Sur ses frêles épaules, elle prend un homme à peu près fini et l'aime. Elle se pince le nez quand elle entre chez moi. Je ne le vois pas, certain qu'elle m'aime comme je suis, laid et poussiéreux. Je suis certain qu'elle peut faire avec. Et elle fait avec, patiemment, méthodiquement, sans me heurter, espérant que je comprendrai que le désordre qui est le mien est scandaleux. Elle ne me le dit pas. Elle espère que je vais comprendre, que je suivrai son exemple. Elle est tellement patiente et tellement douce. « Comment fais-tu pour vivre ainsi ? » Rien ne me dérange. Voilà la première colère qu'elle n'a pas faite. Si elle avait su combien je l'aimais, elle se serait donné le droit de l'indignation et du reproche et, à cette époque, tout à mon bonheur d'être enfin aimé, j'aurais admis que je vivais dans la merde et que ce n'était pas normal.

Violaine avait adopté la tactique de la guérilla. Elle occupait secrètement une part du territoire et attaquait sans prévenir, par petites vagues successives qui ne bousculaient aucune de mes habitudes, mais qui les modifiaient. Toute jeune, mais forte, elle m'avait pris en charge, mais je persistais dans ma négligence, ma saleté, ma bêtise, ma satisfaction de moi. Et puis je fuyais les baisers, les caresses. Pourquoi ? Pour faire l'homme qui est distant. Mais durant tout ce temps, jamais je ne me suis senti certain d'elle. Je le sentais, elle était mieux que moi et je ne la méritais pas. Paradoxe : j'ai vécu durant huit ans avec la peur permanente qu'elle me quitte, car sans elle je ne suis pas beaucoup, avec elle je m'améliore.

Elle m'habille avec tellement de goût respectueux mais aussi avec sa propre vision de l'élégance. Habillé par elle, je me trouve parfois présentable. Quand elle rentre à la maison, même quand elle est de mauvaise humeur et qu'elle me bouscule (elle n'est pas parfaite), je goûte la vie.

la vie / la mort

Les deux en même temps. Pas facile. Changer sans
espoir ou presque. Passer l'aspirateur parce qu'il faut le
faire mais aussi parce que j'ai des dettes envers elle de
malpropreté et de laisser-aller, d'égoïsme et d'aveuglement. Seul, rembourser ces dettes, rêver de la voir
enceinte, rêver de lui prendre la main comme le premier
jour, rêver de pouvoir dire avant de mourir, je t'aime ma
chérie, rêver qu'elle me croit.

la mort

Je l'ai tellement déçue qu'elle ne me croira pas. Et pourtant la mort qui cligne de l'œil sait bien que je l'aime plus que tout au monde. Et la mort me dit aussi : « Tu avais la vie et tu l'as laissée partir. »

Dans ma vie, c'est la mort qui a raison.

la vie

C'est un sourire timide, mais en même temps une sorte d'assurance qui surprend chez une si jeune femme qui se mesure à un vieux routard de l'écriture. Une écoute, une intelligence qui me renversent. Je ne me sens plus supérieur, je parle, je me détends, elle m'installe dans le confort. Elle note studieusement. L'aimer, la désirer me sont interdits. Elle est si jeune, la moitié de mon âge. Faux. Elle a tous mes âges et je connais tous les siens. Je sais que je vieillis mal, alcool, désœuvrement, solitude. Cela ne semble pas la repousser. Nous parlons maintenant, parlons comme les oiseaux piaillent, de tout et de rien mais surtout de politique et de famille. Elle a plus de famille que moi, j'ai plus de politique. Du moins, c'est ce que je pense. Mais non, elle rétorque, argumente, développe tout en écoutant. J'ai moins de famille et elle a autant de politique que moi. Nous ne sommes plus en entrevue, nous commençons à être une femme et un homme. Elle accepte le restaurant libanais où je pourrai prendre l'initiative car je connais les proprios, le menu et le Liban. Elle accepte. Puis un bar idiot. Je parle, je parle, je dis n'importe quoi. Demain ? Oui. Elle monte dans un taxi. Je rentre en vie chez moi. Pour la première fois depuis quinze ans.

la vie

Non, ce n'est pas le premier baiser, ni le premier sommeil. C'est du bacon acheté dans un dépanneur près de
chez elle. Pourquoi du bacon, je ne sais pas. Parce que
nous savions que nous allions nous éveiller ensemble et
qu'elle travaillait et que j'inventais un petit déjeuner qui
n'eut jamais lieu, car après le vin, après l'amour, le réveil
fut brutal. Elle était en retard. Je me sentais vaguement
coupable. Depuis ce petit déjeuner raté, je n'ai jamais
cessé d'aimer Violaine. Nous n'avons pas mangé ce
bacon, mais ce fut pour moi, tout aussi ridicule que cela
puisse paraître, mon premier engagement, notre premier pas dans un avenir commun. Le lendemain soir,
elle vint chez moi. Et cela dura huit ans.

la mort

Je relis le courriel qui me tue.

la vie

L'agonisant ne choisit pas de mourir. Il cherche des lambeaux de vie auxquels se raccrocher comme un naufragé agrippe un morceau d'épave. Ce n'est pas tellement l'envie de vivre, c'est plutôt la peur de mourir. La crainte du rien absolu, l'angoisse de ne pas exister. Car cette existence, ce qu'on est, on imagine l'avoir construit, et si cette existence passe par l'amour qui transfigure, elle dépasse tout ce qu'on était avant l'amour. L'amour multiplie.

   Donc, l'objet de l'amour s'évanouit sur le web. Je n'y peux rien, mais je ne veux pas mourir. J'invente d'autres femmes, je leur attribue des qualités qu'elle possède, je leur accorde sa grâce et son élégance. L'indulgence, car c'en est, ne dure qu'une soirée ou une nuit. Et survient alors la deuxième mise en terre, la certitude qu'il n'existera pas une autre femme. Que la femme perdue sera la dernière. Dernière femme, dernière vie.

la mort

C'est à ce moment précis que l'idée de la mort s'installe et remplace en permanence la femme à ce moment que la mort devient la compagne.

L'homme malheureux ne veut pas se suicider, il espère mourir, souhaite un accident de la circulation, un infarctus du myocarde.

Je sens bien le rongeur morbide qui se cache en moi. Nous sommes familiers maintenant. Nous parlons. Il m'attend, je le crains. Il m'espionne. Cela l'amuse. Nous parlons longuement durant la nuit. Je lui demande s'il ne pourrait pas faire preuve de générosité et me prendre durant le sommeil. Le rongeur se tait. La mort n'est pas généreuse, du moins, pas la mienne. C'est une teigne bête et méchante et elle souhaite que je souffre. Je fréquente une mort cruelle. Qui me fout le cancer par-dessus la peine d'amour. Je sais qu'il en existe de plus douces.

la vie

On meurt tellement souvent durant le cours de la vie.
Ce sont de petites morts que le vin, la musique ou le cul
transforment en vies passagères, supportables. Peines
d'amour, faillites d'ambitions, congédiements, déficits.
Cela tue autant à trente qu'à quarante ans, quand on
apprend la vie et l'amour sans savoir qu'on fréquente
encore l'école. Je regarde ma table de travail autrefois
occupée par des découpures de journaux, des notes
éparses, des livres que je lisais en rafale. Formulaires
d'assurance, protocoles de traitement, recommanda-
tions médicales. Ma littérature change. Je parviens
depuis quelques jours à ne pas être jaloux du bonheur
des autres. Je ne m'en réjouis pas, au contraire. Cette
femme plutôt jolie me regarde. Nous nous sommes rencontrés il y a quinze ans. Elle me donne son numéro de
téléphone. Le lendemain, je l'appelle. Elle viendra peut-
être. Elle ne vient pas, ne téléphone pas comme promis.
Une petite mort dans la grande mort.

Valérie aux yeux bleu acier. Elle me sert un verre de vin que je n'ai pas demandé. Je lui propose de venir avec moi après son travail. Pitoyable. Nous sommes dix vieux dans ce bar à marmonner des mots doux, dix cons tentés par l'immortalité que confère le sexe jeune. Pourquoi Valérie, plutôt que d'autres plus gracieuses, plus élégantes? Pour les yeux, le sourire, le baiser qu'elle m'a donné du bout des lèvres car elle est venue chez moi pour des raisons que je ne connais pas. Oui, c'était le vin. Une dégustation. Elle a eu un peu de tendresse. Un baiser. Nous avons parlé du bordeaux qui était un peu jeune. Puis, de ma maladie et de ma peine d'amour. Elle est partie en y mettant toutes les formes. Depuis, je l'invite gentiment de nouveau. Elle ne vient jamais. Je ne lui en veux pas. J'essayais seulement de jouer à vivre. Je suis triste, d'une sorte de langueur qui ressemble à l'abandon du corps emporté par un courant profond, un Gulf Stream tiède et morbide. Je crois que nulle mauvaise nouvelle ne peut me surprendre et je me trompe. Il y a toujours pire. Je ne le savais pas. Violaine m'écrit des courriels techniques. Nulle émotion. Rien. Une correspondance glaciale dépourvue de méchanceté. Je préférerais un peu de rage, de colère, d'iniquité, n'importe quelle émotion qui ferait naître une émotion chez moi. La tristesse n'est plus une émotion, c'est un état, un climat. Peut-être le climat des Pays-Bas, de La Haye, un gris permanent martelé par le vent sauvage.

la mort

C'est un personnage plein de rebondissements, la mort. D'autant qu'elle me ronge le cœur et le larynx. Elle dispose de multiples moyens pour me tuer plusieurs fois. Ce peut être un courriel qui veut nettoyer notre maison de mon souvenir. Quand on n'aime plus, le souvenir ne devrait pas être lourd. Le meuble reprend une sorte d'anonymat de catalogue, les tableaux perdent leur sens ancien, celui du regard commun. Quand on n'aime plus, les musiques perdent leur mystère et redeviennent musiques, seulement chansons ou symphonies, jamais émotions et rêves partagés. Quand on n'aime plus, tout souvenir devient un souvenir, pas une nostalgie, ni une tristesse. La mort le sait et guide mes pas. C'est une couleur de brique, une fenestration, un resto, un plat que je commande sans penser. Nous souhaitions cette couleur et ce style de fenêtres. Nous avons mangé ces rognons à la moutarde ici même. Je crois que je pourrais dire le mois et l'année, et nous avons parlé toute la soirée du

Darfour et d'une chronique que j'écrirais sur le sujet le lendemain. Violaine portait un chemisier blanc écru, une jupe noire. Elle avait ce chignon si soigné et si négligé en apparence. Voilà comment la mort fonctionne. Elle vous met un rognon dans l'assiette et reviennent la conversation et le chignon qui font le lent travail de la mort dans le cœur. La mort est mon ennemie intime, elle m'accompagne, sait tout de moi et donc me manipule. Elle sait tout ce qui me ramène à elle. Elle en profite et je l'entends ricaner. La mort ne rit jamais, elle ricane.

Parfois, elle se surprend de cette sorte d'inexplicable envie de vivre malgré le vide qui m'emplit de plus en plus.

Elle choisit alors de me rappeler à l'ordre. L'ordre de la mort. C'est ce qu'elle a fait ce matin. Les médecins m'avaient rassuré. Mais ce sont des gens consciencieux. Ils ont examiné à nouveau une petite ombre sur l'image de résonance magnétique. La petite ombre serait un oursin qui pique. De quatre semaines de radiothérapie, nous en sommes maintenant à sept semaines, et il faudra aussi de la chimiothérapie. Je pense aux cheveux. Non, je ne perdrai pas mes cheveux, mais à un certain moment je ne pourrai plus avaler. Ils me perceront un trou dans le ventre et je devrai me nourrir avec une poche de je ne sais pas quoi. La mort vient de m'annoncer le début de la déchéance et de l'exclusion. L'homme qui mange avec une poche ne fréquente pas les restaurants, il ne courtise pas les femmes, peu importe leur âge. Il dissimule le trou qu'on lui a fait et le mécanisme pour installer la poche de machin qui nourrit.

la vie

Valérie promène ses yeux bleu acier sur la salle. Elle sourit plus que de coutume. « J'écris mon testament. »
Cette fois-ci, c'est la vraie. Elle fait des blagues, tente de
me détendre. Je ne vois que ce trou dans mon ventre,
cette connexion avec une poche que je devrai presser
probablement pour que nutriments, vitamines, pro-
téines viennent envahir mon estomac. On ne parle plus
de manger. On parle de gavage scientifique. L'estomac
ne goûte pas, il engloutit, digère, différencie les compo-
sants. La seule chose qu'il ne connaît pas, c'est le plaisir
de manger et de boire.

 « Je vais aller te voir, ce soir. »

 Valérie ne le sait pas, mais elle est une aidante naturelle. Elle me caresse doucement la main, refuse que je
l'embrasse. Elle parle amoureusement de sa mère qui
s'appelle Émilienne et qui fait encore de la vraie « gibe-
lotte ». Sa voix est si douce que je m'endors. Un petit mot
sur la table du salon : « Des fois, la vie, c'est simple. »

la vie

Vers la fin de la vie, quand on a décidé de continuer pour ne pas déplaire, pour ne pas peiner les proches, pour terminer un livre peut-être — mais cela, c'est vraiment se prendre au sérieux, se donner une tête de dictionnaire —, il est impérieux de comprendre la hiérarchie du malheur. Sinon, en même temps que la compagnie permanente de la mort se glisseront l'envie, la jalousie, la misanthropie et même le mépris et la haine. Mieux vaut ne pas mourir amer.

Ma sœur gentille, écolo et un peu bouddhiste me disait : « Regarde autour de toi, il y a des gens heureux. » Et oui, je regardais les gentils couples, les baisers furtifs, les mains enlacées. Je n'imaginais que leur divorce imminent et souhaitais leur déchirement. La jalousie et l'envie nous piègent, nous, les gens malheureux. Elles accroissent la détresse et affaiblissent la capacité de survivre.

Pour survivre, je cherche une aventure, un frisson, une émotion. Valérie est un objet du désir. J'appelle toutes les femmes que j'ai connues. Réponses polies, messages effacés. Violaine me croyait volage. Les femmes qui l'inquiétaient savent bien qu'il n'y a personne d'autre dans ma vie que cette femme qui ne répond même plus à mes courriels, que je n'ai prononcé que quelques mots de la séduction, que tout cela était un jeu. Je souffre doublement de ma légèreté. Violaine croit que je voulais la tromper, et aucune femme n'a jamais pensé que je pouvais la tromper. Je ne parlais que d'elle quand je jouais la séduction. Double mort, double solitude.

Quelle illusion quand on aime autant, quand chaque pas est accompagné par quelqu'un d'absent, quelle illusion de penser qu'on peut inventer une nouvelle vie.

Oui, on vit plusieurs vies. Mais on n'a qu'une Vie. De multiples épisodes, des femmes, des enfants, des amitiés, des revers, des victoires. Durant ces petites vies qui se succèdent, rien n'est remis en question. On continue, on poursuit, on reconstruit, on recommence. Puis, rarement, très rarement, l'éblouissement qui est autant un ouragan qu'une splendeur, aussi un abîme dans lequel on se précipite sans crainte. On y plonge les yeux fermés, avec confiance, car pour la première fois on aime, on admire, on vénère, on respecte. Voilà pourquoi, ma chérie, quand tu m'envoies tes mails assassins je ne peux répondre que « tu es la première et la dernière femme ».

Comme le cancer est peut-être la première et la dernière maladie.

Ma fille me conseille un antidépresseur. Cela rend la vie plus rose. Personne ne comprend que la peine d'amour est parfois une peine de mort. Je ne suis pas déprimé, je suis un cadavre condamné à bouger et, pire encore, obligé de lutter pour vivre.

la vie

Ma radio-oncologue porte le voile, ce voile qui rend la femme encore plus désirable. Une beauté douce et tranquille qui prononce des mots calamiteux avec un sourire désarmant. Elle m'annonce des jours terribles et des douleurs et des tubes et des perfusions, des sacs de solutés, plus de nourriture, plus de vin. Elle explique pire que la mort, elle explique la souffrance et presque l'agonie. Je lui demande pourquoi elle porte le voile. « Vous êtes contre les musulmans ? » Non, je suis contre le voile qui n'est pas musulman, qui n'existe pas dans le Coran, qui est une invention de l'homme dans toutes les religions. Nous devions parler du protocole de traitement. Je lui demande de me citer une sourate qui ordonne le port du voile. Je crois que je lui parle comme Violaine le ferait. J'aimerais que celle-ci m'entende. Je vais lui écrire et raconter. Bien sûr, je ne le ferai pas. Je suis en quelque sorte condamné au silence. Mon amour refait sa vie et tout ce qui vient de moi semble nuire à sa renaissance. J'obéis.

La radio-oncologue perd son calme. Sa beauté demeure. « Je vais demander à mon patron de vous parler. » Il est recommandé de ne pas heurter son médecin.

la vie

Maman a quatre-vingt-onze ans. C'est une belle vieille, toujours bien coiffée. Les rides sont douces et harmonieuses. Maman me connaît très bien. Elle a dit un jour : « Si Violaine quitte Gil, il va mourir. » Elle sait maintenant et elle m'observe comme si j'avais quatre-vingt-onze ans et que la mort se pointait au coin de la rue. Seule maman a deviné combien j'aimais Violaine. Je veux dire à maman que je ferai tout pour mourir après elle. Un fils n'a pas le droit de mourir avant sa mère. Je travaille à plein temps à l'hôpital pour maman. Je ne veux pas lui dire mes deux morts. Elle devine la première et ignore la seconde. Ses yeux se mouillent quand, hésitante, elle me demande comment je vais et qu'elle feint de croire ma réponse convenue. Elle est tellement jolie. Oui, une vieille jolie comme une poupée qu'on prendrait dans ses bras si on n'était pas un homme.

la mort

J'ai semé la mort le premier jour de la Vie. Le jour de notre mariage. Violaine m'embrassait, je me laissais embrasser. Elle se penchait vers moi, j'acceptais, mais ne tendais pas les bras. Je regarde cent fois par jour cette photo où elle s'abandonne et où je me réserve. C'est la première photo de la mort. Et la robe bleue. Dieu que tu étais belle ! C'était la première et la dernière couleur de ma vie qui finalement débutait.

la vie

Le travail de vivre quand on ne veut pas vraiment. Faire des courses, choisir des tomates, couper des oignons deviennent des tâches. Marcher est une obligation. Respirer aussi. Le métier de vivre. Le métier de bouger, de s'inventer des activités. Mais, j'ai tout quitté ce qui me rappelle mon bonheur ancien. Dans ce meublé où je ne fais qu'écrire et regarder comme un abruti la télévision, il n'y a aucun livre, aucun tableau, aucune musique, seulement la télé qui fonctionne en permanence. Je bois mécaniquement des vins ordinaires et le plus souvent je mange des plats préparés. J'adorais cuisiner, mais c'était pour lui offrir des fleurs, pour lui dire je t'aime, pour lui prendre la main. Je sais dorénavant, mais il est trop tard pour le mettre en pratique, que nulle attention, nulle assiduité, nulle fidélité, pas un magret de canard à l'anis étoilé ou un rognon à la moutarde ne remplacent la main qu'on tient, le baiser ordinaire, l'épaule qui accueille la tête fatiguée, le bras qui entoure la femme frileuse. Savoir inutile.

Encore un examen pour plus de vie. Les hôpitaux ne se soucient pas de la vie. Ils proposent aux mourants en sursis des travailleurs sociaux, des nutritionnistes, des psychologues, des thérapies de groupe, mais vous plongent dans un univers mortifère. Vingt-cinq cancéreux qui parlent ensemble de leurs souvenirs et de leurs cellules en cavale. Les « intervenants » vous rassurent sur votre humanité, sur votre dignité, ils promettent de vous accompagner. Merci. Redonnez-moi ma femme et je guérirai de toutes les maladies.

Fatima, la radio-oncologue, ne porte pas son voile aujourd'hui. Peut-être pour me faire oublier les mauvaises nouvelles.

Il faudrait que je devienne amoureux de ma radio-oncologue. Je la regarde intensément pendant qu'elle annonce la ruine de mon corps maigrelet. Elle fuit mon regard. Je sais que je peux être ivre d'un regard. Rappelle-toi, le premier soir, une bière, mille regards. J'étais ivre de toi comme je le suis encore.

Une semaine. Vous ne savez pas la longueur et la lenteur d'une semaine quand on pense à un tube inséré dans l'estomac, à l'incapacité de boire du vin, à l'enfermement qui vient avec le tube et la poche de soluté bien dosé. Je l'ai déjà dit, je suis un homme mièvre. Je n'ai ni le courage ni la folie du suicide. Je vis parce qu'il faut vivre. Nous sommes nés pour vivre jusqu'à la mort.

la vie

Mon oncologue sourit. Il n'y aura pas de chimio pour l'instant, pas de tube, pas de trou, pas de poche. « Est-ce que vous accepteriez de prendre un verre avec moi ? » Elle ne boit pas d'alcool et le proclame comme en une déclaration solennelle. « Un café alors ? » Elle est mariée. « Moi aussi. » Fatima, radio-oncologue de métier, musulmane convaincue, femme fidèle, se lève, outrée, et quitte brusquement le petit cabinet d'examen morbide qui nous sert de lieu de fréquentation depuis quelques semaines. J'attends, elle reviendra certainement. Pourquoi ai-je tenté de vivre ? C'est le patron qui entre. Si je continue à harceler Fatima, l'hôpital se séparera de moi. Une sorte de congédiement pour cause d'envie de vivre. Je n'ai pas la couleur des murs, pas encore, et je demande pardon. Je lui raconte mon autre mort, celle du cœur qui n'aidera pas les radiations, mon envie de ne pas vivre et cette petite piqûre de vivre quand je vois Fatima. Le rêve de réinventer un peu de vie pour effrayer les cellules déchaînées, le rêve de rêver. Le grand patron sourit et passe ses deux mains dans sa crinière grise. Il a une tête de peintre, une chevelure de Riopelle. « Moi aussi, je suis un peu amoureux de Fatima. » Il me serre la main et promet de lire mes livres. Je ne veux pas qu'il me lise, je veux qu'il tue cette merde qui se colle à mes cordes vocales pour qu'enfin je puisse faire face au rongeur que Violaine a planté en moi. Je souhaite qu'il soit aussi efficace avec moi qu'avec un plombier illettré.

Je ne sais pas si ce sont les techniciennes ou mes veines qui sont incompétentes. Pour les intraveineuses, c'est toujours le bordel. Elles piquent à côté, recommencent plusieurs fois. J'ai des cheveux d'ange. On dirait que mes veines viennent du même ciel. Si minces et secrètes que les aiguilles les ratent.

Une infirmière me demande d'enlever le haut et de me couvrir d'une jaquette. Les jaquettes, comme les murs, vous enlèvent l'envie de vivre. Dès que je l'enfile, elle me ramène à ce rongeur tapi dans mes entrailles. Bleu délavé, ouverte dans le dos. C'est, je crois, le pire vêtement inventé par l'humain. Surtout quand on vous promène dans cette jaquette relié par perfusion à un soluté qui coule d'une poche fixée à un machin déambulatoire qui ressemble à une patère. Je traverse des salles d'attente, des corridors. Les gens y sont vêtus comme des vivants. Moi, comme un mort en sursis. J'imagine qu'on s'attriste à la vue d'un grand malade. Mais il y a pire, des corps émaciés, des têtes râlantes qu'on bouge dans l'espace public. À partir de quel moment oublie-t-on sa dignité de vivant, juste perdu dans sa maladie ? Je ne le sais pas et je m'en fous, mais quand je marche ainsi, presque nu, seulement pour aller me faire peser, je me dis qu'on devrait inventer un métier : technicien du malheur hospitalier. Faut pas être sorcier pour penser qu'on peut peser le patient avant de le déshabiller et de le promener comme une loque.

Dure journée. Pour le scan, deux veines ratées, pour l'IRM, une veine. Les jeunes femmes sourient professionnellement comme des hôtesses de l'air qui annoncent des turbulences et retirent les plateaux.

Besoin de vie. Je cherche Fatima, en titubant légèrement. Je fais tous les corridors du cinquième étage. Je ne croise que des morts vivants. Je rentre chez moi et recommence à fumer, ce qui n'est pas indiqué.

Je regarde la photo de notre baiser marital. Je lui écris sa beauté et ma distance, je demande pardon, je tente d'expliquer ma génération de mâles foutus. Je demeure devant l'ordinateur. Violaine est aussi loin de moi que ma radio-oncologue. Nous n'avons que des rapports de fonction. Avec Violaine, des précautions juridiques pour le divorce, avec Fatima, des protocoles scientifiques. Je descends au bar. Valérie semble séduite par un chromé qui lui explique les fonctions du Black-Berry.

La disparition de la vie amoureuse, la disparition de la vie, quoi, de même que l'idée de la mort, change le regard. Selon le mail assassin ou bureaucratique, selon l'examen médical, le regard se fait indulgent ou chirurgical. Le chromé pianote sur l'extension technologique de sa petite cervelle. Tous pareils, garçons et filles, trente, quarante ans, une génération de Prada et de Mexx. Vêtements, coiffures, conversations (argent, santé, gadgets), ils sont interchangeables comme des portables. Illettrés mais chiffrés, incultes mais branchés, branchés sur leurs iPod. Cette génération menace plus la terre que les changements climatiques. C'est elle qui nous a fait la crise, les « wonderboys », Rolex et BMW, hypnotisés par les bonus, créateurs de jeux vidéo qui glorifient la violence. Ce sont les nouveaux barbares.

Je n'ai vraiment pas besoin de déprimer encore plus. Le danger, c'est de rendre la terre entière responsable de son malheur. C'est moi qui n'embrassais pas assez et fumais trop, pas ces nouveaux barbares qui me semblaient plutôt risibles au temps de mon bonheur et qui ne me dérangeaient pas.

Demain, je retournerai à l'hôpital et demanderai à parler à Fatima.

Je regarde notre photo de mariage, cette photo officielle que tous les parents et amis ont reçue. Je ne parlerai pas à Fatima demain, je ne lui proposerai pas de prendre un café. Cette photo illustre et résume toute ma capacité d'aimer, de désirer, d'admirer. Je suis déjà un cliché, un bout de papier dans un cadre noir. Je sais, en m'allongeant sur le lit, en allumant la télé pour regarder un tournoi de poker ou un documentaire animalier jusqu'à ce que sommeil s'ensuive, je sais que je n'aimerai plus jamais. Je ne pleure pas. Je suis de glace devant cette perspective de vivre sans vie. Le vent méchant me tient éveillé. Je crois que c'est la mort qui fabrique le vent et le précipite sur les fenêtres et qui maintenant organise un orage hurlant de tonnerre et fulgurant d'éclairs. Je ne parviens pas à dormir, je regrette tous les baisers que j'ai retenus et aucune des cigarettes que j'ai fumées. Si ma démesure avait été amoureuse, je mourrais peut-être, mais je mourrais dans ses bras.

la mort

La peur de mourir est ambiguë quand on n'a pas de raisons de vivre. On souhaite la mort tout en la craignant. C'est en premier lieu la peur de souffrir, mais surtout la crainte de ce silence qui va s'installer. Ne pas savoir ce qu'on laisse, ce qu'on lègue, ce qu'on retient dans les paroles échangées au salon funéraire. Voilà pourquoi au théâtre on invente sa mort pour entendre les condoléances et les jugements.

Mourir, c'est partir sans entendre les adieux sincères, les critiques, les réserves. Mourir, c'est partir sans savoir qui on est pour les autres. On a un peu peur de mourir parce qu'on craint de ne pas comprendre ce qu'a été notre vie. L'autre peur est quasiment celle du terrorisme, de la torture. Elle est principalement associée au cancer, maladie qui torture en fin de vie, qui amaigrit les corps, tue la résilience, multiplie les douleurs, oblige souvent la compassion impuissante des proches. J'imagine que Violaine viendra me voir et que nous pleurerons un peu, que nous nous tiendrons la main, qu'elle sera triste et moi encore un peu plus mort parce que je l'aimerai encore plus et que je lui serai aussi indifférent.

la mort

Il fut un temps dans ma vie, un temps triste et monotone, où je prenais les couleurs et les apparences de mes
difficultés ou de mon dénuement. Comme si je souhaitais que mon corps sente la tristesse et que mon apparence exprime mon dénuement. Violaine m'a appris la
dignité du cadavre futur qui est le respect de soi, de cette
sorte d'enveloppe charnelle que j'ai toujours négligée.
Je ne fais pas le malade quand je me rends à l'hôpital. Je
porte des chemises 100 % coton, un veston de lin ou
de laine, le pli du pantalon est précis. Je suis rasé, douché,
je sens la santé des produits hygiéniques et des crèmes
pour la peau. Quand j'arrive, on me prend plus pour un
médecin que pour un patient désespéré et un amoureux
transi. J'ai un livre ou un magazine. Je me tiens droit
dans ma chaise inconfortable en attendant que mon
numéro ou mon nom soit annoncé, c'est selon l'examen
ou le traitement. Puis, ma dignité fond, se dissout, je
redeviens ce que je ne souhaite pas être, un mourant.

Mon oncologue, quel curieux nom pour une femme magnifique, n'a toujours pas remis son voile. Vêtu de ma jaquette d'hôpital, je me sens un peu indécent et rêve légèrement. Heureusement, je n'ai pas d'érection. Je lui demande ce qu'elle pense des jaquettes, de leur couleur, de leur design, de mes fesses refroidies par la chaise de résine sur laquelle je suis assis pendant qu'elle me glisse dans la narine ce filament muni d'une caméra qui va filmer mes cellules en folie. Je sens dans son regard froid et son silence qu'elle me prend pour un dégénéré ou un fou, en tout cas, un être anormal. Elle a raison.

la vie

On pourrait inventer des jaquettes aux couleurs brillantes qui pourraient s'attacher facilement, qui ne laisseraient pas les fesses nues et le dos froid, des jaquettes avec de jolis dessins qui vous donneraient envie de vivre avant le dernier traitement de chimio ou de radiothérapie. Des jaquettes arc-en-ciel, des jaquettes Snoopy ou Astérix. Je continue à parler et mon oncologue, belle comme une déesse, ne me regarde pas une seule fois. « Je vous parle. » Elle n'a pas d'opinion sur ces choses qui ne la concernent pas et m'annonce que le traitement durera six semaines plutôt que quatre. Pourquoi ? Parce que nous avons changé d'avis. J'imagine que c'est une mauvaise nouvelle.

Je me dis que je devrais me faire faire une belle jaquette que j'apporterais avec moi à chaque visite à l'hôpital. Je demanderai à ma belle-mère, qui a dessiné et confectionné la robe de mariage de Violaine, un magnifique fourreau bleu. C'est idiot, je rêve encore. Ou je me souviens de plus en plus, ce qui nourrit mon imagination. Quand j'ai vu Violaine dans cette robe, dans le couloir froid du palais de justice, j'ai compris qu'elle était la première et la dernière femme, ma naissance et ma mort.

la première femme

Ce n'est jamais la première, la première femme, c'est souvent la dernière. Elle est la première dans le sens de naissance, de découverte, d'abandon. C'est Ève, mère et compagne de tout. Un bateau aussi sur une mer démontée, la musique que l'âme imaginait et que l'on entend soudain. Le bruit de ses pas n'est pas le son de souliers sur le trottoir ou dans le couloir, le bruit de ses pas annonce la vie qui revient, le bruit de ses pas fredonne une chanson heureuse et langoureuse. Les yeux de la première femme ne sont pas des yeux, ils inventent un regard tout comme sa parole dicte un monde dans lequel l'homme se fond avec délice et respect. La première femme est la mère de l'homme, cette mère qui l'enfante une deuxième fois. Voilà ce que fut et est encore Violaine pour moi.

la dernière femme

La dernière femme quand elle part clôt à jamais l'univers féminin, détruit les neurones et les molécules qui suscitent le désir et l'attirance, le plaisir et la contemplation. Dans mon cas, cela inclut la musique, la lecture, les voyages, la cuisine, toutes activités marquées de l'empreinte de la première femme dont je sais qu'elle est la dernière.

Je me suis fait des spaghettis carbonara hier. Faire pour soi et faire pour l'autre ne sont pas des actes similaires. La pensée de l'autre transcende les gestes et les choix, surtout la pensée de la première femme dont on entendra bientôt les pas chanter dans le couloir. Cuisiner, comme vivre, est dorénavant un travail fastidieux. Manger, une activité obligée. Ces spaghettis étaient fades, pourtant je n'ai rien changé de ma recette qui nous enchantait. Mais voilà, je m'inquiétais de son plaisir, me demandais si les lardons n'étaient pas un peu trop cuits, elle me rassurait. Trop de crème peut-être. Elle disait oui parfois. Et le vin ? Les pâtes et le vin changent magiquement quand on en parle et qu'on les partage. Les papilles gustatives s'affolent et font la fête. Il en va de même pour la musique, pour les chansons qu'on fredonne, pour la télé qu'on discute ou ridiculise. L'amour transforme tout comme la pierre philosophale. Le plus vil métal devient or. Je ne suis maintenant que vil métal. Mes spaghettis carbonara sont d'une fadeur indescriptible, tout comme les trente émissions de télé que je regarde par trente secondes.

La dernière femme tue aussi toutes les autres femmes et même le vague désir d'une autre femme. Les femmes autrefois objets de désir réprimé et d'admiration se transforment en objets exposés dans des vitrines. Je les regarde en me disant qu'avant elles auraient été belles et désirables.

Durant ma relation avec Violaine, je désirais toutes les femmes belles ou intelligentes ou remarquables. Jamais je ne passais à l'acte, mais je tentais continuellement de séduire. J'écrivais des courriels ambigus, pleins de sous-entendus. Ce mystère, je ne parviens pas à le résoudre. Depuis qu'elle est partie, depuis que la première et dernière femme est disparue, toutes les femmes se sont évanouies. Ma jeune sœur tente de me rassurer parfois en me disant que je suis encore un bel homme et que je trouverai bien. Je n'ai pas envie de trouver. Surtout, je ne cherche pas. Nulle femme ne marche comme Violaine, de ce pas ferme de danseuse brisée, avec les bras légèrement écartés du corps qui marquent le rythme de la marche et les mains tendues comme si elle se préparait à s'envoler dans les bras d'un prince russe. Nulle femme ne pourrait me redonner le délicat ballet de ses doigts quand elle danse sur une musique arabe.

Une autre sœur se scandalise de ma tristesse qu'elle confond avec l'abandon et la démission de soi. Nous mangeons une pizza fade qu'elle trouve délicieuse. « C'est peut-être la peur de la mort, la peur de la maladie qui te rend si désespéré. » Non, je ne crains pas la mort qui peut venir au bout des traitements qui commencent demain, je meurs de la mort qu'un courriel a glissée en moi.

« Tu es un écrivain reconnu, un intellectuel respecté. On t'admire, on te sollicite. »

Oui, et cela alourdit la déperdition. Je peux comprendre ma sœur à qui on ne dit jamais « je lis vos chroniques chaque semaine » ou « j'ai adoré votre dernier livre ». Je peux la comprendre car je me suis complu dans ces éloges généralement sincères, oubliant de présenter ma femme, la laissant sur le trottoir pour écouter les rossignols de la gloire, puis lui racontant tous les compliments en marchant sans lui tenir la main. Ce n'est pas ainsi qu'on aime. Et je ne vais pas ce soir expliquer à ma sœur comment j'ai mal aimé en même temps que j'aimais autant. Je ne l'expliquerai pas parce que je ne le comprends pas. Elle se rabat sur le cancer. Elle se méfie de la médecine lourde dans laquelle je suis engagé résolument et sans états d'âme. « Tu devrais essayer l'acupuncture. » Pourquoi pas. Terrible ce qu'on dit quand on ne sait plus quoi dire, quand la personne qu'on aime et qu'on veut aider sincèrement ne parle pas le même langage, ne vit pas dans le même univers.

la vie, la mort à plein temps

J'ai écrit trois fois à Violaine depuis une semaine. Un peu d'affection de sa part m'aurait soulagé. Je commence ce matin mon travail quotidien contre la maladie, rongé, grignoté par son absence et son silence. Six semaines de jaquette quotidienne, de pesées, de nutritionnistes, de travailleurs sociaux, de rayons machins qui chassent les cellules rebelles et vont tenter de rétablir la stabilité dans ce pays troublé qu'est mon larynx. Six semaines de chaises inconfortables, de corridors morbides, de préposées méthodiques. S'il y avait un objectif au bout de ce couloir monotone, le travail et l'application auraient un sens, même la jaquette pourrait se transformer en vêtement festif ou comique. J'ai le sens du ridicule et j'y prendrais plaisir. Mais, sans elle, nul sens n'apparaît sinon le réflexe de continuer, de repousser la peine que ma mort provoquerait chez les gens que j'aime. Et aussi la peur de la douleur, pas de la mort, la peur de la charcuterie qui me mettrait dans la gorge un mécanisme artificiel pour dire le peu de mots qui me restent. J'essaie d'organiser toutes mes peurs et toutes mes inutilités. Ce n'est pas facile. Dernières cigarettes. Je tente de les savourer. Elles me brûlent le palais. Elles me calment avant le sommeil. Existe-t-il une méthadone pour les fumeurs? Oui. Si Violaine m'avait demandé de cesser de fumer, je l'aurais fait.

la vie

Dans ce restaurant que je fréquente quotidiennement viennent beaucoup de jeunes couples accompagnés d'enfants. Ils braillent parfois, courent beaucoup entre les tables, souvent sont sages comme des images. Seule l'enfance m'émeut encore, m'attendrit, me fait sourire et même rire. Et aussi l'émerveillement des parents devant leur progéniture, devant le fruit de leurs amours ou de leurs devoirs. Les couples s'embrassent, je ne les envie pas. J'ai embrassé. J'aimerais bien le faire maintenant, mais c'est un autre problème. Mais leurs enfants m'émeuvent.

C'est l'enfant que nous n'avons pas eu que j'imagine et rêve au gré des pleurs ou des rires.

Je le voulais, cet enfant. Mais cinquante ans de cigarettes, quarante ans d'alcool ne facilitent pas la procréation, ni la négligence, ni les nuits qu'on passe à boire pendant que sa femme dort. Bien sûr, j'écrivais ou tentais de le faire. Je le désirais, cet enfant, un peu comme on souhaite un gain à la loto. Je le voulais sans cesser de fumer, sans diminuer le vin, sans acheter de Viagra.

Pendant que j'écris ces lignes, j'éteins la dernière cigarette de ma vie. Je n'ai pas le choix si je veux continuer le lourd travail de ne pas mourir. L'infirmière a dit : « Les rayons préfèrent des cellules oxygénées et la cigarette tue l'oxygène. »

Violaine aurait dit : « Pour faire un bébé, il faut que tu cesses de vivre ainsi. » Je l'aurais fait. L'idée d'avoir un enfant d'une femme qu'on aime et qui adore les enfants convainc bien plus que la seule envie de survivre. Une colère aurait suffi.

Les hommes ont besoin d'ordres, de directives, d'ultimatums. Les femmes pensent que l'amoureux, s'il aime vraiment, doit deviner les signes, doit comprendre par lui-même les insatisfactions. Je n'ai pas compris les signes qui me semblent aujourd'hui évidents.

Mais quel désespoir, aujourd'hui, après cette dernière cigarette, si nous avions eu cet enfant, quel effroi. Laisser un bébé sans père, une mère sans mari.

Car l'évocation de la mort devient de moins en moins théorique. Ce n'est pas un masque de fer. C'est une sorte de moulage de résine, qui me couvre le visage et une partie du torse sur lequel on a tatoué des points de référence. Un peu comme un masque d'escrime, mais un grillage si précisément moulé que je dois bouger mon nez d'un centimètre vers la gauche pour qu'il soit correctement ajusté. Les jeunes femmes prennent des mesures.

1,14 ; 3,37 ; 6,59. Elles marquent le masque pour que les rayons se posent au millimètre près. Elles parlent calmement, me rassurent, non pas sur ma santé, mais sur les opérations, le mouvement de l'appareil qui transperce de ses rayons magiques la peau de mon cou pour tuer les cellules perverses. La mort s'amuse, satisfaite du silence de Violaine et de ma peur qui s'installe. Je crois que la mort se plaît davantage dans la peur qu'elle engendre que dans l'action de terminer les choses. Une mort qui dure longtemps constitue une bonne aubaine, un joyeux spectacle.

Une dernière cigarette encore. Je lui ai écrit pour lui dire que sa douce beauté et son calme me manquent. Silence. J'ai jeté le paquet de cigarettes. Elle m'a jeté comme un paquet de cigarettes, expulsé comme un cri primal. Elle se purifie de moi, dirait-on. Finalement. Si j'accepte ce masque qu'on pose sur mon visage tous les jours à onze heures trente précises, ce n'est pas parce que l'envie de vivre m'habite, c'est parce que je veux repousser le plus loin possible dans le temps la tristesse et le dérangement que ma mort produira. Je découvre que Violaine ne m'aime plus, mais que plusieurs personnes m'aiment ou m'estiment ou comptent sur moi.

la mort

Il y a le rat qui gruge mon larynx, la mangouste qui mange mon cœur, ma radio-oncologue que je pourrais aimer, ma nutritionniste qui est comme une sœur supérieure, ma technologue radio qui est vietnamienne et belle comme un lever de soleil. Mais il y a la salle d'attente qui sent, respire l'agonie et la mort. Rien ne me parle de vivre. Quand une civière passe, on s'imagine passager.

Et, surtout, il y a ce bar, ce rassemblement de téléphones cellulaires auxquels sont accrochées des choses qui prennent parfois des formes humaines. Quand je dis « formes humaines », j'exagère. Ce sont des images de magazines, de publicités, de messages commerciaux. Ces formes humaines sont en fait des constructions, des inventions. Du moins, c'est ainsi que je les vois, quand je descends, épuisé par mes traitements, pour faire semblant de vivre encore.

Car il faut bien que je vive un peu. Et comme personne n'est aimable dans ce bar, sauf le personnel et les patrons, je me laisse aller à la haine et au mépris. Car, quand j'essaie d'aimer un peu, tout me renvoie à Violaine qui ne répond plus.

Cela ne me fait pas une bonne image et renforce la conception qu'ont tous les marchands, les commerçants, les boursicoteurs, les voleurs, de ce qu'est un intellectuel, un écrivain. Un oiseau qui se perche et regarde avec mépris l'humanité. Mais si nous, les intellectuels, méprisions l'humanité, nous serions marchands, assureurs, boursicoteurs, téléphones portables, vieux beaux avec manchettes dorées, col largement ouvert sur des poils délicatement cultivés, nous ne serions pas écrivains. Tout ce qui est beau et humain et doux me renvoie à elle. Je n'ai de rapport avec la vie que la médiocrité. Je parle de ce bar pour parler de ma haine de la laideur et de la suffisance. Puisque l'amour m'est interdit, il est bon pour ma santé que je puisse ne pas aimer, critiquer, mépriser, dénoncer. Je préférerais aimer, mais il est trop tard.

la vie

Ma radio-oncologue porte souvent le voile et est mariée. Ma technologue est vietnamienne, jeune et belle comme je ne sais pas quoi. Une statue délicate, une fleur originale. Se glisse donc dans l'idée de la mort une envie de toucher la beauté. Avant de mourir. Évidemment, elle a trente ans. Je lui dis : « Vous êtes tellement belle. » Elle me demande de redresser la tête un peu plus pour qu'elle puisse bien installer le masque et m'explique que cela sera plus long aujourd'hui car elle doit faire des radios et de nouvelles mesures. Le cyclope bourdonne, rugit, chuinte. Un doigt délicat se pose sur mon cou et annonce des chiffres. C'est la beauté que je voudrais toucher. Non pas aimer, car tout mon amour est mort, déjà enterré ailleurs, tout mon désir est assouvi, déjà possédé par quelqu'un qui le refuse. Ne reste que l'envie de toucher, de fréquenter la beauté. La beauté n'a que faire de l'admiration des vieux qui meurent d'amour et de rayons. Je lui dis au revoir après le traitement. Elle ne me regarde même pas. Je la comprends.

C'était un peu de vie. Si peu.

toutes les morts

Ma technologue vietnamienne pour qui je ne suis qu'un cancer. Une jeune femme qui voulait parler de littérature et qui ne vient pas au rendez-vous qu'elle avait accepté. Mes courriels à Violaine qui demeurent sans réponses. Une insulte me tuerait moins que le silence, ce meurtre qu'elle me fait de moi. Et puis la maladie qui n'est plus théorique. Elle parle, se manifeste. La fatigue, la lassitude chronique, la gorge qui renâcle, le gosier qui avale mal. Violaine se tait, la maladie commence à parler. Mes deux morts, compagnes permanentes, compagnes de chaque seconde, sauf durant le sommeil. Je fume une cigarette par jour ; le vin commence à irriter mon gosier. Les aliments s'affadissent. Je crois que j'y arriverais si j'étais peintre, musicien ou mycologue, si une passion autre que celle de l'humain m'habitait et que je possédais d'autres outils que les mots, qui te sont tous destinés. Malheureusement, non. Seul le dur travail de vivre m'a intéressé, avec bien sûr l'organisation du monde, les tristesses et la médiocrité trop souvent de la politique des hommes, toujours plus petits, plus timides que le travail qu'ils promettent d'entreprendre. Parfois, très rarement, ce n'est pas le cas. Mandela m'a réjoui suffisamment pour que j'oublie mon malheur de cette époque. Obama, aujourd'hui, me console parfois durant quelques minutes. Les débuts de Mitterrand. Je fus passionné par le Moyen-Orient au point d'en perdre une femme que j'aimais beaucoup. Je parvenais, mais je ne parviens plus, à me réfugier dans la complexité du monde pour masquer le vide de ma vie. Ma relative renommée m'enchantait, je dois l'avouer, car je ne suis pas misanthrope, et je n'ai jamais prétendu que la gloire et le succès pesaient. Jamais cependant le plaisir provoqué par une invitation à l'étranger ou un article louangeur, un compliment ou un salut admiratif ne me satisfirent plus que le bruit des pas de Violaine dans le couloir et le son de sa voix qui exprime sa fatigue ou demande ce qu'on mange. Ou sa moue quand je faisais semblant de lui imposer le hockey plutôt que D*r* Grey, le samedi. Plutôt que de dire que le voyage avait été passionnant, aurait-il fallu que je mente et dise que je m'étais ennuyé durant tout le Festival littéraire machin ? Je m'ennuyais rarement, mais téléphonais et écrivais souvent. Il y a s'ennuyer et s'ennuyer d'elle. Je ne m'ennuyais jamais, mais je me languissais d'elle qui ne partageait pas mes découvertes et mes rencontres. Cela n'a pas suffi, comme s'il fallait que l'homme pense à prévenir tout ce qui pourrait inquiéter la femme. Quand elle m'aimait, je pouvais manger, converser avec une sorte de plaisir gratuit, regarder avec des yeux indépendants, les miens, lire avec ma sensibilité, mon intelligence à moi, je pouvais faire tout cela alors qu'elle dormait à cinq mille kilomètres. Elle me manquait, mais j'existais.

Plus maintenant. Son regard s'est installé dans mes yeux, sa pensée dans la mienne. Depuis qu'elle m'a quitté, elle m'habite, me monopolise, me paralyse.

la vie

Je suis dans la salle d'accouchement. J'ai tout raté de la grossesse, les cours prénatals, les nausées, les craintes de fausse couche. J'étais en tournée de promotion. Nous parlions par mail. Je sais que ce n'est pas parler, je le sais maintenant. Internet permet toutes les fuites et les évasions, toutes les exagérations. On peut quitter quelqu'un en sachant qu'on ne sera pas témoin de sa détresse, qu'on ne verra pas l'homme fier se transformer en loque, en fontaine de larmes. Internet permet de conduire les relations humaines comme on règle les factures ou effectue des transferts bancaires. Mais je suis là, je n'apprendrai pas la naissance par mail. Je désespérais de lui faire un enfant. Je l'ai dit. Tant de cigarettes, tant de vin, si peu de respect pour la santé. Et puis la vieillesse et le sexe plutôt mou, la honte de ce membre dysfonctionnel, ce membre fondateur de l'homme, le refus de songer au Viagra ou au Cialis, l'orgueil, le dernier orgueil de l'imbécile macho. Un spermatozoïde rebelle avait dû se dissimuler, hiberner, trouver son repos et emmagasiner des forces miraculeuses. Il avait probablement préparé son attaque sachant qu'il était le dernier survivant de ma faiblesse annoncée. Cette infime partie de moi n'avait pas renoncé à exister.

Violaine cria une telle douleur que je faillis m'évanouir. Ce fut le début de l'enfant. Le couinement de la boule de chair suintante et sale qui sortait d'entre ses cuisses dessina sur ses lèvres un sourire de Madone ou de pietà. Ce sourire léger qui annonce l'éternité. Je pouvais mourir, je pourrais mourir sans créer de vide, seulement de la tristesse et du deuil, mais pas de vide. Je lui avais donné le bonheur éternel, un sujet d'amour, un objet d'angoisse qui l'occuperait jusqu'à sa propre mort. L'enfant est le vrai mari de la femme. L'enfant me remplacerait.

Je souhaitais une fille. Je n'aime pas les garçons. Ils sont comme moi, insensibles aux angoisses imperceptibles des femmes. Mais quand je vis cette virgule rouge, le pénis, je découvris que les souhaits des parents en ce domaine relèvent de la théorie et du fantasme. Dès le premier cri de l'enfant dont le sexe n'est pas souhaité, les réserves s'évanouissent. De toute manière l'enfant prend le pouvoir et je me trouve heureux de m'y soumettre, d'autant que son pouvoir, son omniprésence enchantent Violaine. Je peux disparaître. Ce sourire de Madone qui est le sourire habituel de Violaine. Ne manquait que l'enfant de la Madone. Jésus, Dieu, le Messie. Il est là. Je cesse de fumer, je me mets à l'exercice et fréquente les médecins. Je m'astreins à me refaire un corps, une santé. J'ai une famille. Je suis un père modèle. L'enfant grandit. Violaine embellit. Il a trois ans et nous marchons souvent ensemble, nous avons de longues conversations quand j'apprends le cancer qui me ronge. Il a maintenant cinq ans et je dépéris, mais je lui donne ses premiers cours de tennis, lui lance un ballon de football. Nous dessinons pour maman, j'écris des albums pour enfants, je lui enseigne les rudiments de la cuisine. Voilà, regarde la suite du monde, Violaine ne sera jamais seule. Il a six ans quand je suis confiné au lit, que je commence à maigrir. Je lui explique la vie et la fin de la vie, que la sienne sera belle et douce avec sa maman. Et qu'il devra quand il sera plus grand prendre soin d'elle. Je n'ai plus la force de faire la cuisine, ni même celle de manger. Mais Hubert et Violaine sont tellement beaux, tellement radieux malgré leur tristesse que je m'éteins, je crois, avec un sourire et un peu de bonheur. C'est bien de mourir ainsi, avec une main de femme sur le front et une menotte d'enfant qui tient sa main. Une belle mort.

la mort

Je n'ai pas d'enfant, Violaine n'est plus là. Je ne suis pas
chez moi, je vis dans un lieu d'emprunt. La douche, le
gargarisme pour atténuer l'irritation de la gorge, le taxi
qui me prend tous les jours et me conduit à l'hôpital, ma
radio-oncologue qui porte le voile, ma technicienne
vietnamienne qui est belle comme un cœur, le masque
de résine, le cyclope qui tourne autour de mon cou et
qui fait des bruits de frelon enragé. La nutritionniste,
l'infirmière qui prend la pression, un autre prélèvement
de sang. L'ordinaire du travail de vivre. Pardon Violaine.
Je crois que je mourrai de ne pas avoir fait d'enfant.

un mot pour ce genre de vie

Ce que je vis n'est pas une vie. Amour perdu, mort comme horizon. Entre les deux, rien, nul désir, nulle envie, sinon d'écrire pour que personne ne raconte ma vie en dehors de mes mots, de mes hontes et de mes bonheurs. Cette vie, je l'ai gaspillée, mais c'est la mienne.

À la terrasse, tout le monde me sourit, mais personne ne s'intéresse à moi vraiment. Même Valérie s'est lassée de ma tristesse. Je m'efforce de sourire, je tente péniblement des formules gentilles même si elles sont convenues. Rien n'y fait. Il fut un temps où les femmes aimaient la fragilité de l'homme. Dans cette époque de crise et de débrouillardise, de peur de l'avenir, l'homme triste détonne, l'homme malade effraie. Car on a beau vouloir se faire une beauté publique, le maquillage coule rapidement.

Si j'avais le fils de mon rêve et la femme de ma vie, la maladie ne serait qu'un passage obligé, un obstacle, une épreuve comme disent les croyants. Je n'aurais même pas besoin de leur aide, car leur existence suffirait à donner sens à tout ce qui maintenant m'est pénible, lourd et finalement inutile. Un mot, trouver un mot, inventer un mot pour désigner cette vie, ces mouvements, ces repas, ces gestes méthodiques, ce café le matin, le journal que je ne lis pas vraiment, le soleil qui ne me fait pas joyeux et la pluie qui ne m'attriste pas.

Je ne trouve pas le mot. Ce n'est pas « survie », ni « existence ». En fait, ce n'est rien. Je vis le rien. C'est peut-être la vie d'une fleur. La rose ne souffre pas, j'imagine, quand la pluie se déchaîne comme elle le fait maintenant. La pluie froide et rageuse fait partie de la vie d'une fleur. La pluie violente avec son frère le vent froid déchire l'auvent de la terrasse. Je ne bouge pas, comme si une vie quelconque m'habitait enfin. Je bois mon vin même s'il ne possède plus de bouquet ni de goût. On m'avait dit que la guérison passait par la disparition du plaisir du vin. Je ne croyais pas que chardonnay, cabernet, sauvignon, grenache, pinot noir pouvaient être confondus. Ma mort sournoise contrôle aussi les grands et les petits crûs. La mort est réelle. C'est la vie qui est une invention. On me regarde curieusement comme si j'étais fou de rester ainsi fouetté par cette pluie rageuse qui me donne l'illusion de vivre. C'est un peu le regard que je porte sur ma vie. J'étais fou, non, pire, j'étais idiot.

la vie

Maman vit toujours. Elle a plus de quatre-vingt-dix ans et mille problèmes, compagnons de la vieillesse. Hypertension, surdité, tremblements, cholestérol, arythmie. Elle vit quand même, solitaire certes, mais elle vit. Comme une plante menacée de sécheresse, elle plonge ses racines au plus profond du sol et y trouve l'eau des souvenirs qui la réjouissent. Elle regarde les photos sur le mur de sa chambre et elle sourit, s'endort calmement, avec le sentiment du travail bien fait.

Souvenirs. Trop de souvenirs. Tu croyais que je ne faisais pas attention, que tous mes regards et mes pensées se concentraient sur ma personne. Quel tragique malentendu ! Je n'ai aucun souvenir de moi, j'entends : de moi comme objet de souvenir. Je n'ai de souvenirs que de toi, en fait que de nous. Huit ans de souvenirs quotidiens de nous. Dans un premier temps me viennent les souvenirs de ma bêtise et de mon aveuglement de mâle ancien marié avec une femme nouvelle. Je peux comprendre que tu n'aies pas voulu mourir sans enfant avec un vieil alcoolique impuissant. Cela faisait partie des possibilités quand nous nous sommes rencontrés. J'avais exactement le double de ton âge et la moitié de ta tendresse, autant d'intelligence, mais moins de générosité. Tu me rendrais meilleur, plus humain, plus doux, plus tendre, je le savais. Mais ce ne fut pas suffisant pour toi. Tes exigences de tendresse dépassaient ma capacité d'aimer et, oui, je fumais et buvais trop.

Mieux vaut quand on aime et qu'on songe à la mort ne pas entretenir de souvenirs. Je ne sais pas pourquoi j'ai posé mes yeux sur mes jeans pendant que j'écrivais. Je baissais la tête de tristesse. Nous les avons achetés ensemble à La Haye. Tu les as choisis plus que moi. La chemise grise aussi que je porte ce soir et les chausettes et le caleçon et tous les vestons et le pyjama et la robe de chambre et le manteau d'hiver et les chemises de lin, celles de coton aussi. Tu m'as habillé et tu m'habilles encore. Je me lève le matin et je m'habille en toi. Trop de souvenirs.

La mort sournoise et intelligente sait bien que, lorsque je parle de toi, je vis un peu et meurs beaucoup. La mort n'est pas jalouse de si peu de vie. Tu voyages. Je ne sais pas où. Ils ont fait une célébration mondiale pour la mort de Michael Jackson. J'écoute les Beatles. Le vin brûle ma gorge cancéreuse. Demain, traitement, rencontre avec le médecin. Vivre sans toi n'est pas vivre, c'est une forme insidieuse de mort, une sorte de cancer émotif.

la mort

Le médecin ne dit rien de précis. Mon poids est stable. Je le sais, docteur. Dites un mot, une information sans que je pose de questions. Il me dit que tout va bien, s'enquiert de mon alimentation. Je mange normalement. Je mange de tout. Je travaille, docteur, c'est ce que je voudrais lui dire. Il croit probablement que je suis animé d'une rage de vivre, comme semble-t-il tous les cancéreux. Et si ce n'était pas le cas, docteur ? Mon absence de goût pour la vie fait-elle barrière aux rayons X ? Ma sœur dirait oui.

Je mange de tout. J'en suis rendu à inventer même la nourriture, car plus rien n'a de goût ou presque. Alors, je regarde, je sens, je me souviens, je recrée le goût du tartare ou de la morue basquaise. Fraises et camembert sont plus forts que la maladie, le café aussi. Il existe peut-être des aliments qui n'aiment pas le cancer du larynx. Je suis passé chez la nutritionniste pour me renseigner. Elle n'en sait absolument rien d'autant qu'elle se spécialise surtout dans l'aliment totalement mou ou liquide. La saveur ne fait pas partie du traitement. J'ai proposé à ma technologue vietnamienne de prendre un verre. Elle est très occupée par sa maman qui vieillit mal, et on sait l'importance des parents pour les Asiatiques. Je rentre, ma journée de travail est terminée. Télé, solitaire, jusqu'à l'heure de l'apéro. Lecture du *Monde,* au bar. Retour, cuisine, invention du goût de ce que je mange, du vin que je bois. Je me nourris de fiction, d'imagination, de rêves de saveurs et de textures. Retour au bar pour espresso et vin, prendre quelques notes et regarder une vie qui m'indiffère de plus en plus. Je pense à l'heure de vie réelle qui vient. L'heure de l'écriture.

la vie

La vie, l'écriture. Combien de fois m'a-t-on demandé pourquoi j'écrivais et combien de fois ma réponse franche a déçu. J'écrivais parce que c'était mon travail, comme d'autres réparent des robinets ou font sauter des cèpes. J'écrivais pour gagner ma vie et aussi, concession intellectuelle, parce que je croyais que j'avais certaines choses à exprimer. Mais cela, je tentais de le dire humblement et de ne pas y accorder une grande importance.

Maintenant, je sais. J'écris pour vivre encore. Quand j'écris, je vis un peu, je te parle, je discute avec toi, je te fais part de mes découvertes, de mes doutes, de mes regrets, de mes angoisses. Quand j'écris, j'entends ton souffle et aussi tes questions ou tes commentaires. Quand j'écris nous sommes ensemble car nous avons été réunis par des mots et des phrases qui formaient un livre dont nous avons parlé, une longue conversation qui s'est transformée en baiser. De baiser en étreinte, d'étreinte en amour et en mariage. Puis les baisers que je gardais dans une escarcelle secrète comme un vieil avare de tendresse t'ont éloignée. Je ne peux plus te toucher qu'avec mes mots que tu liras certainement sans crainte d'être trop émue puisque je suis inscrit dans ta colonne des profits et pertes.

Et puis aussi, j'écris pour cet imbécile en face de moi, cet idiot satisfait de lui-même. Jusqu'ici, je l'imaginais, et il prenait généralement mes traits, mais je le vois ce soir avec sa femme, selon toute apparence follement amoureuse. Elle se colle, elle est heureuse et voudrait être à la maison, elle multiplie les petits baisers, sur la main, sur la joue. Je sais ce qu'il ressent, je l'ai vécu. Il se demande si on le regarde, il dit moi aussi je t'aime, qu'est-ce que tu veux boire. Elle l'embrasse sur la bouche. Une partie de son corps se raidit. Il tourne légèrement la tête vers la serveuse qui ne le regarde pas. Elle l'enlace. Elle n'est pas ivre, ni écervelée, ni hystérique. Elle prend son homme dans ses bras et veut l'embrasser, ici et maintenant. Ce n'est ni exhibitionnisme ni extravagance, c'est de l'amour. Disons qu'il revient d'un voyage à Toronto, qu'elle ne l'a pas vu depuis trois jours et qu'il lui a donné rendez-vous au resto plutôt que de rentrer à la maison. Elle insiste et je vois la langue qu'elle tente de glisser entre ses lèvres. Un vrai baiser, mon chéri ! Trois jours que je ne t'ai pas vu. Elle a dépassé les bornes. Il la repousse, lui fait un air et dit des mots courroucés, consulte le menu. Un petit coin de son cerveau lui dit qu'il a été con. Il tente de se racheter et pose un baiser sur son front en lui tapotant le dos pour la réconforter.

C'est aussi pour ce con, cet imbécile, cet idiot que je fus que j'écris. Peut-être lui, ou un autre comme lui, nous sommes nombreux, lira-t-il ce petit livre et se mettra-t-il à la tendresse et à l'amour avant qu'il ne soit trop tard et qu'il ne reçoive comme moi son congédiement par courriel.

la mort

Admettre qu'on meurt quand une femme nous quitte n'est pas se diminuer, se rendre petit, se dénigrer. Ce n'est pas le fait d'un homme faible et sans échine, sans existence individuelle. C'est le constat que fait un homme âgé qui découvre le véritable amour et qui le perd. Le bilan qu'il tire d'avoir enfin rencontré la première femme et perdu la dernière femme.

Ce n'est pas parce qu'une femme nous grandit qu'on est petit. Et ce n'est pas humilité que de l'admettre. Sans elle, je ne suis pas rien. Je conserve mon intelligence, mes idées, mes principes, ma capacité d'aimer. Mais ces qualités, ces caractéristiques de moi deviennent virtuelles, comme faisant partie d'un jeu de rôles où il faudrait engranger les qualités de Gil pour survivre et triompher des monstres. Problème : ces forces ont besoin de l'existence de Violaine pour s'exprimer.

Sans elle je ne suis pas moi, je suis un autre que je ne connais pas bien. Et je ne sais pas si cet autre a vraiment envie de vivre.

la vie

Oui, quand on n'est pas méchant. Vivre pour ne pas déranger les autres par notre mort. Vivre par politesse, par respect. Vivre comme une occupation, un état et non pas une passion. J'entends la mort ricaner. Elle sait bien que je peux le faire un peu, quelques mois.

La mort se trompe. J'attendrai la mort de maman pour m'en aller.

J'écris des courriels gentils, délicats, j'essaie de faire de l'humour, non, de la légèreté, car entre elle et moi au moment de cette séparation Internet il n'y avait que lourdeur et tellement de non-dits et tellement peu de regards, cette délicatesse des yeux qui interdit la méchanceté des mots car on voit bien dans les yeux de l'autre qu'on ne peut pas dire ce qu'on écrit facilement dans un café Internet africain, soudain libéré d'une douleur jamais dite. Et si tu me l'avais dite, ta douleur, nous serions vivants. Et si tu m'avais proposé de prendre des cours de tango, nous serions en train de danser ce soir. Et d'accord, si je t'avais tenu la main, si je t'avais bercée, si mes gestes t'avaient autant aimée que je t'aimais, si j'avais été l'amoureux que j'étais. Je veux dire : ne pas seulement proclamer être amoureux, mais *être* amoureux, petit à petit, minute par minute. Je ne l'ai pas fait. J'ai trahi mon amour, mon admiration, mon respect pour toi. Voilà probablement pourquoi la mort a senti que je faisais une victime intéressante. Un amour si vivant, si total qui se découvre dépourvu d'objet. Je ne mérite pas ton silence.

la mort

Je perds la voix à nouveau. Ce n'est plus qu'un filet de voix qui dit à la personne qui l'entend que quelque chose d'anormal se déroule dans la gorge du monsieur qui parle. C'est une sorte de râlement articulé qui parvient à former les mots et les phrases, mais est incapable d'y inscrire quelque émotion que ce soit. J'ai un larynx dépourvu de tristesse et de plaisir. Il dit tout sur un ton monocorde, couleur de jaquette d'hôpital, en un chuintement qui ne sied pas dans un endroit bruyant et qui force les gens à tendre l'oreille, physiquement. C'est une voix d'agonisant, de mourant. Je le vois bien dans les yeux de Valérie, qui ne travaille que les vendredis, ses yeux qui sont passés du bleu au gris quand j'ai demandé un café. Non pas qu'elle m'aime ou ait de l'affection pour moi. Mais je fais partie de ses habitudes et de ses repères. Voilà qu'elle imagine en entendant ces sons rauques qu'un jour prochain je ne serai plus là. Cela ne l'empêche pas de vaquer à ses occupations, de charmer les clients du bar, de prétendre s'intéresser à la conversation d'un vieux beau qui étale le poil gris sur sa poitrine comme un trophée. Non, elle ne veut pas toucher au poil gris. Gentille Valérie, je crois que je pourrais t'aimer un peu, car je ne peux plus aimer beaucoup. Un inconnu veut me parler de mes écrits. Il s'est imposé et parle à haute voix. Valérie dit que monsieur Courtemanche a une extinction de voix. Elle me regarde avec ses yeux gris. Une pointe de tristesse, comme dans le fin fond des yeux des chats quand on fixe leur regard. Le regard du chat est mélancolique et triste. Le chat aime avec tristesse. Le chat ne sourit pas. Je fus un peu ton chat. Indépendant en apparence, mais tellement esclave et soumis.

Miou Miou est mort. C'est notre chat, le plus beau, le plus intelligent, le plus doux des chats. C'est un chat ordinaire, d'un beau gris, avec des pattes beiges. Mais des yeux, des yeux tristes qui réclament affection, et une manière d'être gentil. Castille est morte, c'était la chatte de Violaine. Elle avait pleuré au téléphone en m'annonçant ce décès. J'étais à Toronto pour vendre un de mes livres. Je suis rentré dans la journée et me suis précipité dans une animalerie tenue par un Marocain incapable de déterminer le sexe des chats pour acheter Miou Miou.

la vie

Je suis allé jouer. Machines hypnotiques, rares moments d'inconscience absolue. J'ai gagné, mais telle n'est pas la raison d'être de ces bandits manchots. Ces figures lumineuses, sept, citrons, poires, prunes, oranges et cloches ou couronnes, tous ces dessins naïfs et laids créent une sorte de jardin inconscient. Leur mouvement sur l'écran endort et calme si on est comme moi, fataliste. Cinq sept sur une même ligne. Je viens de gagner le gros lot. Nul bonheur, nulle satisfaction. Quelques dollars. Voici le résultat de ma journée de vie. Un traitement, une prise de sang, une cigarette interdite, oui, une seule, je persiste. Je crois que j'ai mangé correctement et que je ne perdrai pas de poids, car ce qui me terrorise le plus, c'est que la nutritionniste m'annonce que j'ai perdu du poids. Ne pas maigrir me dit que je continue à vivre.

la vie

Il faut bien que tout cela ait un sens, une utilité. Ne pas mourir ne constitue pas un objectif qui permette de vivre. Il faut plus. Tout sens s'est évanoui avec ton départ. Si j'étais jardinier, mû par la passion des fleurs et des plantes exotiques, le jardin serait encore porteur de sens et aurait besoin de moi et moi de lui. Nous pourrions nous consoler ensemble de la perte de tes pas dans les allées mouillées ou des bouquets que tu ne composeras plus. Ou encore, si j'étais fou de musique comme Edgar Fruitier, le sens que me fournirait la musique serait intact malgré ta perte. Mais je n'avais de passion que toi et de sens que ceux que nous trouvions ensemble. Car avant toi, je n'étais qu'un livre. Tu as apporté le sens. Dans les mots et les phrases, nous avons un vocabulaire commun. Dans les idées et les principes, nos codes, nos luttes se confondent et nous n'avons jamais vraiment su lequel d'entre nous indiquait les différents chemins que nous avons empruntés. Alors, quand j'écris, quand je réfléchis, ce n'est ni un refuge ni une évasion que je trouve, c'est toi que je cherche.

Le chat Miou Miou nous suit. La chaleur est inhabituelle et les terrasses ont ouvert en catastrophe. Nous allons prendre comme très souvent un café et un verre de rouge au Café Local. J'aime bien les rituels. Je me dis maintenant que tu aurais probablement préféré un peu plus de variété dans les lieux fréquentés. Miou Miou suit comme un chien qui connaît les habitudes de ses maîtres. Il traverse la rue avant nous et nous attend, puis court devant et disparaît dans la ruelle. Il réapparaît quelques minutes plus tard à la terrasse dont il fait le tour, s'arrêtant aux tables pour jauger et juger les clients amusés. Miou Miou s'installe dans une boîte à fleurs et attend que nous ayons terminé le rouge. Nous rentrons avec Miou Miou. Cela a un sens.

Comme le rognon de veau que je réserve chaque semaine parce que tu adores les rognons à la moutarde et le pâté chinois que je fais parfois. Et les recettes que j'essaie d'inventer ou de perfectionner.

Tout ce que j'aime, tout ce qui porte en soi le sens de la vie passe par toi, est imprégné de toi. Chaque fois que je tente de me rapprocher du sens de la vie, je plonge dans ton absence. Chaque mouvement vers le beau, la grâce, l'intelligence me retourne en toi. Et je lutte sans savoir pourquoi il faudrait vivre encore plus longtemps ton absence. Cela est profondément insensé et me trouble de plus en plus. Il est ridicule de pleurer en faisant rôtir un rognon sur le gril ou de réprimer des larmes quand on voit une image de Paimpol à la télévision. Ce matin, la jolie Tonkinoise qui prend les mesures pour que le Cyclope lance ses rayons sur les mauvaises cellules s'est approchée de mon visage, plus près qu'à la normale, et son parfum s'est glissé à travers les mailles résineuses de mon masque. C'était un parfum de toi, comme dix autres odeurs de toi qui me hantent, odeurs de nuit, odeurs de jour, parfums d'été, effluves des lieux secrets. Depuis le 2 janvier (nous sommes le 20 juillet), c'est la première fois que je te sens et te touche presque. Les larmes coulent lentement comme les suintements d'une vieille pierre poreuse et humide. Le Cyclope vrombit, tourne, rugit, hoquette. Je me demande dans mon masque maintenant inondé si les larmes bloquent ou dévient les rayons qui doivent guérir. Le masque retiré, elle voit ce visage ruisselant et semble terrorisée. « Ce n'est pas grave, je suis seulement très fatigué, ne vous inquiétez pas. » Ces mots la calment, mais elle ne me croit pas, me demande si je veux voir le médecin, la travailleuse sociale ou le psychologue. « Non, merci, mademoiselle, ce n'est qu'un souvenir qui a fait comme de la pluie dans mes yeux. » Son visage est doux comme un clair de lune sur le golfe du Tonkin. En descendant du plateau, je feins de vaciller, elle s'approche pour me soutenir. Je lui vole un peu de son parfum, un peu de ton odeur du matin. Ses yeux m'interrogent. « Vous voulez parler. » Elle n'a pas trente ans et travaille avec la mort.

Elle dirait qu'elle sauve la vie. « Non merci, vous êtes gentille. » Mais oui j'ai envie de te parler jolie Tonkinoise qui as l'odeur du matin de ma femme, mais non je ne veux pas t'accabler de mes tristesses et de mes faillites, je ne veux pas t'expliquer que l'homme qui t'aime plus que tout au monde t'aimera si mal que tu le quitteras. Tu ne mérites pas d'avoir peur d'aimer.

la vie

Cette tristesse et le parfum subtilisé que je reconstruis dans ma mémoire, où je l'enferme pour pouvoir le retrouver, m'ont paradoxalement redonné une certaine vigueur. Depuis une semaine, je vis dans un état de colère permanente. Tout m'impatiente, les gens me déplaisent, rien ne trouve grâce à mes yeux. J'engueule les chauffeurs de taxi parce qu'ils conduisent trop vite ou trop lentement. Ce qui me déplaisait légèrement me met en furie. Tout est tellement prétentieux, clinquant et inutile autour de moi. Femmes peintes, grimées, refaites, hommes vulgaires d'ignorance, nombril Black-Berry, oreillettes téléphone, Rolex ou vélo à 3 000 $ pour aller acheter un paquet de cigarettes. Durant une semaine, j'ai confondu l'humanité entière avec quelques centaines de mètres carrés de prétention satisfaite, la rue Bernard, comme des dizaines de rues dans des dizaines de villes. Je suis devenu misanthrope. Quelle tragédie que de vivre misanthrope, quelle aigreur ! Si je meurs, je ne veux pas mourir en colère, et si je vis, je ne veux pas haïr durant des années sous prétexte que je suis malheureux. Mourir triste, vivre triste, ça va, mais amer, méchant, fielleux, non, jamais.

la vie

Quand le Cyclope commence son lugubre ballet autour de ma tête emprisonnée dans son masque, je ferme les yeux et parfois atteins une sorte de demi-sommeil qui me permet de rêver. C'est encore l'enfant, l'enfant que nous n'avons pas eu. Il a deux ans maintenant et, cette fois, il s'appelle Olivier. Je veux guérir pour retrouver ma voix, pour qu'il l'emporte avec lui dans sa mémoire, la voix du vieux père qui racontait des histoires. Je veux guérir pour avoir le temps de lui écrire plusieurs histoires, pour que nous ayons eu le temps de parler, de nous asseoir ensemble sur les galets bretons. Je veux guérir pour sauter dans sa première vague à la plage de Bréhec pendant que Violaine nous regarde, émue et heureuse d'avoir un fils qui a un vrai père. Dans le taxi qui me ramène chez moi, le rêve se poursuit. Je rêve à une histoire de vieux loup qui vit esseulé dans les Pyrénées. Avec sa meute, il a tué trop de moutons. Les hommes n'ont pas aimé. La meute a été décimée il y a quelques années. Mais voilà qu'apparaît une meute de jeunes loups fringants qui viennent lui faire les salutations d'usage. Ils arrivent de loin, de Roumanie, et parlent le roumain. Ce sont des hommes qui les ont menés ici. Le vieux loup ne comprend pas car l'homme, c'est l'ennemi. Les jeunes lui expliquent. Si le loup demeure loup, l'homme le respecte. Et chasser le mouton, c'est la paresse du loup. L'homme tue le mouton pour se nourrir. Le loup tue des renards ou des blaireaux. Voilà ce que nous te ferons manger, vieux père, et les hommes nous laisseront tranquilles. Si l'homme a tenté de nous éliminer c'est parce que nous sommes devenus paresseux. Le vieux loup, content d'avoir de la compagnie pour ses vieux jours, accepte de modifier son alimentation et de redevenir loup.

Il s'appelle Olivier ou Hubert, il a cinq ans, cela fait longtemps que le bonheur m'a guéri. Je lui apprends les secrets du foot après les ateliers du Musée. Un enfant tue le cancer, comme l'amour. Je sais, c'est idiot, je parle comme ma sœur optimiste. Mais je suis persuadé que si Olivier existait, je me battrais encore mieux. Les Alouettes ont gagné hier, Olivier. Et puis si je te menais jusqu'à cinq ans, je trouverais bien le moyen de t'accompagner à ton premier jour d'école, et je me mettrais à rêver du secondaire, du moment où on pourrait partager les mêmes livres en plus des mêmes rencontres de sport à la télé. Au moment du départ, je t'aurais tellement donné, j'aurais mis tant d'histoires dans ta tête et planté tant de questions et de pistes que tu aurais l'impression que seul le corps s'engourdit puis se fige. Tu saurais que je continuerais à t'accompagner. Il y a les livres, certes, mais la mémoire de la voix et de l'histoire que raconte la voix vit à jamais comme le parfum d'une crème du matin, une odeur d'amande qui goûte la lune du golfe du Tonkin.

la mort

Je me souviens du regard ébahi et atterré de ma plus jeune sœur quand je lui expliquais calmement, méthodiquement comment j'envisageais la suite. C'était au début de la maladie. Je refuserais qu'on me charcute, qu'on m'entube, qu'on m'installe une voix de métal. Si Violaine était encore là, j'accepterais toutes les dégradations et les déchéances pour le seul plaisir d'entendre son pas et de lui faire le plus longtemps possible des rognons ou ce parmentier de canard qu'elle adore. Mais sans elle, tout cela n'est que douleur et humiliation inutiles.

C'était aussi au temps où la maladie était en quelque sorte théorique. Elle me rongeait, mais en silence, sans que j'en subisse les inconvénients. Puis, avec les traitements à répétition, mon visage est devenu gris, ma gorge rouge presque lacérée. Le vin est devenu métal froid et acide, la nourriture, une agression. La mort était une idée, une présence. Elle s'est installée physiquement dans

mes raclements de gorge, comme la première mort, celle
que m'a infligée Violaine, avait fait son nid entre mes
côtes. Mes pensées se sont faites plus torturées, plus
sombres.

Les humains sont souvent comme les animaux. Ils
sentent la mort d'un membre de la meute et s'en écar-
tent, se tiennent à distance. Valérie m'évite, elle se sent
mal à l'aise.

Je suis angoissé et faible, mais je tente de maintenir
une sorte de dignité extérieure. Je ne veux pas qu'on me
voie comme désespéré et malade, et surtout pas Violaine
si le hasard d'un trottoir nous réunissait. Dans la salle
d'attente de radio-oncologie, beaucoup de femmes pro-
clament leur cancer. Elles donnent à voir leur crâne
dénudé. Cela me gêne. Probablement parce que leur
crâne me rappelle ma gorge et que ma gorge est peut-
être aussi dénudée et fripée.

Il y a cet homme qui se met à râler et à cracher, qui
enlève le foulard autour de son cou et qui montre le trou
qu'on lui a fait dans la gorge et qui veut parler mais ne
fait que cracher. J'ai peur, j'ai peur de ne pas être capable
de dire non à la charcuterie. Tout maintenant est tellement concret. Je m'en vais, traumatisé. On m'a fait un
pansement qui entoure tout le cou. La vendeuse de journaux me regarde avec pitié. Le lendemain, je refuse le
pansement. Je préfère la laideur de la plaie à la proclama-
tion de la maladie. Mes pensées ont perdu tout leur
calme et leur froideur. Seule Violaine pourrait me redon-

ner la paix nécessaire pour faire face. Ce qui est effrayant maintenant, ce n'est pas la mort, qui m'arrangerait, c'est la douleur et tout ce qui vient avant, l'agonie. La maigreur, la laideur et le regard apitoyé.

Puis, toutes ces pluies bretonnes qui assombrissent l'été montréalais. Cette maison bretonne que nous n'avons pas trouvée. Hubert ou Olivier y auraient grandi dans l'émerveillement de la mer, c'est-à-dire de l'inconnu, de l'imprévisible, de la puissance. La mer force le respect et relativise la vie des hommes qui la fréquentent. Je ne l'ai pas assez fréquentée. J'ai peur, j'ai besoin de toi. Tu n'aimes pas qu'on ait besoin de toi. Tu aimerais que nous soyons tous aussi solides que toi tu l'es en apparence. Le besoin n'est pas la dépendance, ma chérie, c'est la reconnaissance de la force et de la richesse de l'autre. Ce n'est pas non plus un jugement négatif sur soi, un aveu de faiblesse, c'est l'acceptation du fait qu'exister seul et sans besoin d'un autre est une forme de pauvreté ou d'orgueil mal placé. Une moufette vient de pisser.

la vie

Avant toi, j'étais un livre et une fausse réputation. Avec toi, je suis entré dans la vie, mais malgré mon âge je n'en connaissais rien. J'avais mené ma vie comme ma carrière, sans suivre de plan, sans réfléchir. Tout en coups de gueule et en coups de foudre. Première impression, premier amour ou première colère, tout cela arrosé de mille vins et whiskys. La certitude perverse d'être exceptionnel, sans le solide appui de savoir qu'une grande partie de moi était plutôt ordinaire et parfois minable. J'avais ainsi conduit ma vie amoureuse en aimant beaucoup et souvent sans jamais savoir ce qu'aimer signifiait. Avant toi, je ne savais pas qu'on pouvait mourir du souvenir d'une crème du matin au parfum d'amande. Je ne savais pas que le bruit des pas qui reviennent à la maison pouvait enchanter plus que toutes les récompenses et les prix du monde. En fait, tu étais la femme adulte et j'étais l'enfant. Tu connaissais déjà toute la richesse de la tendresse, des doigts effleurés, de l'épaule qui accueille la tête fatiguée. Je ne connaissais que le grand baiser, l'étreinte charnelle et, oui, la cigarette après. Pas facile d'apprendre à vivre quand on est déjà vers la fin de sa vie, alors que toi tu n'en étais pas encore au milieu. J'ai essayé d'apprendre, à tâtons, à l'aveugle, en tentant de deviner. Je n'étais pas un bon élève, mais combien je t'aimais, malgré l'épaule que je refusais et les doigts que je ne caressais pas. Je donnais ce que je pouvais : l'argent, les rencontres qui viennent avec le succès, les vacances, la Bretagne. Je te laissais me refaire petit à petit, mais jamais je ne te donnais le petit baiser qui ferait foi de mon immense amour. Et puis, je protestais, je veux demeurer ce que je suis. Ce que je protégeais de moi, c'était le pire. Toi qui peux faire face à tout froidement, logiquement, pourquoi n'as-tu pas dit un jour : « Ça suffit ! » J'aurais écouté, ma chérie. Mon orgueil, ma suffisance ne sont pas assez puissants pour nier le fait que tu es la première et la dernière femme. Mais au bout du compte, j'aurais dû comprendre que tes insomnies ne venaient pas du travail, mais bien de moi, qui ne donnais pas l'amour dont tu avais besoin. Quand on aime autant que je t'aime, une telle négligence mérite la mort.

la vie

Tout m'est familier dans cette ville : j'en connais presque tous les secrets, les démarches, les habitudes, les jambes nues des jeunes anglos en mars quand un soleil inattendu se pointe, l'annonce du printemps qui est l'espresso bu dehors, rue Saint-Laurent, l'annonce de l'été qui est la voisine nous apportant ses premières fleurs, l'annonce de l'automne comme un dernier sourire des arbres qui rougeoient, et puis l'hiver, dont les Montréalais se moquent. Je viens de passer trois saisons sans toi. Je ne les ai pas vues naître ni mourir. Tout m'est familier, mais je navigue lourdement en pays étranger, passager d'une sorte de vaisseau fantôme qui revient sur un océan qu'il avait déjà traversé. Tout m'est familier, mais je ne suis pas chez moi. Tu es mon pays, ma ville, mon quartier, ma rue et ma maison. Je suis un habitant de toi.

la mort

Pourquoi j'écris ? Je pourrais boire comme je l'ai toujours fait dans le passé quand je trouvais la vie injuste. Je pourrais fuir. Non, j'écris. Pour tous ces cons qui comme moi pensent qu'un homme ne doit pas se laisser embrasser à bouche que veux-tu dans un endroit public. J'écris pour tous les imbéciles qui pensent que le mâle ne pleure pas.

Mais j'écris aussi pour emprisonner ma vie, pour la définir moi-même, pour compliquer la tâche des spécialistes de l'éloge funèbre. J'écris pour dire que j'ai raté ma vie. Certes, le journaliste est compétent, l'écrivain a eu du succès, je fais bien la cuisine, j'ai parfois des élans de générosité et je vis selon mes convictions. Cela ne fait ni une vie ni un homme réussis. Si on perd ce qu'on a de plus cher, on rate sa vie. Voilà, j'ai raté ma vie. Je voudrais seulement qu'on m'accorde le courage de l'avoir reconnu et l'honnêteté d'en avoir payé le prix sans trop faire chier les autres. Je n'ai pas de dernières volontés, sinon celle de te revoir.

Avec ma fille, si tu le veux, vous vous entendrez certainement pour ne pas tomber dans le piège des éloges factices et des vies ordinaires que la mort transforme en épopées. Salut, Charlebois, je suis un raté ordinaire. Avant que tout soit fini, il faut que j'écrive l'histoire du loup pour l'enfant que nous n'avons pas eu.

la vie

Les traitements sont terminés. On m'a demandé si je voulais conserver le masque. J'ai frissonné. Je le mettrais dans mon salon peut-être comme un trophée de chasse, une tête de chevreuil ou de tigre, et le montrerais à mes petits-enfants et aux visiteurs.

Je suis soulagé. Les brûlures, la gorge enflammée, les aliments qui refusent de passer, le vin qui a un goût d'aluminium, les pansements, cette crème qui contient de l'argent et souille à jamais toutes les chemises que tu m'as achetées. C'est fini. Quelques jours de vie ordinaire avant les résultats définitifs. Recommencer à manger. Oui, mais avec qui ? Je mange seul depuis un an. Et le plaisir de manger, c'est dire : « Tu veux goûter ? »

La meute humaine a le nez fin et les yeux aguerris. Elle sent que le mâle mourant est peut-être en rémission, qu'il a peut-être une deuxième chance. J'ai dû redresser les épaules, car, comme le vieux loup, durant les dernières semaines, elles s'affaissaient.

La pensée de continuer à vivre m'effraie autant que celle de la mort. Peut-être plus. De la mort, on craint ce qui vient avant, l'agonie, les dernières visions de ceux qu'on aime, de la mort, on craint la douleur, l'agonie, ce qui précède la mort. Après, on s'en fout. Mais de la vie qui continue sans toi, je crains tout, chaque repas, tous les paysages, les chansons de Dassin autant que celles de Brel. Comprends, ma chérie, manger est un souvenir, marcher aussi, respirer, sourire. Tout ce qui fait la vie me ramène à toi et à ton absence. Comment inventer une vie de mort ? Si je guéris, c'est ce que je devrai faire.

Nettoyer le champ de mines, débrancher le moteur de recherche qu'est la mémoire. Trop de souvenirs. Pire, je suis deux, deux regards qui observent, le tien et le mien confondus, deux lectures, deux craintes. Comment sortir ton regard du mien ? Comment cesser d'être autant toi que moi ?

La chanson dit qu'on s'habitue. La chanson, c'est la chanson. Je ne m'habitue pas. Je ne sais jamais qui réagit, toi, moi ou nous.

la vie

J'avais prévu la mort, on m'annonce la vie. Nous parlons entre patient et médecins. Les médecins semblent satisfaits et ne comprennent pas mon absence de joie. Je leur dis que ma vie est triste et sans objet. Mes cordes vocales ont repris leur élasticité, mes *a* et mes *i* vibrent. Les médecins ne comprennent pas que leur succès ne soit pas en même temps le mien. Partir, là où il n'existe aucun souvenir. Impossible.

La mer parle. J'entends la voix que j'aime, le rugissement qui fracasse rochers et falaises. Dans cette violence, c'est l'envie de vivre qui s'exprime. Des brumes mystérieuses font comme les voiles de la vie. Les cormorans ont un air sinistre.

Je suis assis sur un bois de grève à Sainte-Flavie, tentant de cesser de fumer, ne sachant rien de la vie qui vient, avec la mer qui me regarde et qui me défie. Voilà comment je sens les choses. La mer demande, la mer insiste toujours si on prend quelques minutes pour converser avec elle.

la mort

La vie m'annonce une nouvelle forme de mort. Je
regarde les rochers dénudés par la marée basse. Pierres
polies, roches maîtresses peut-être, je ne le sais pas. Je ne
trouverai pas assez de plaisir pour meubler cette vie
qu'on m'annonce.

Il faut semble-t-il poursuivre, allonger sa vie même
malheureux, même sans envie de vivre. Je comprends.
Nous ne sommes pas propriétaires de notre vie. À moins
d'être fondamentalement égoïste, ce que je ne suis pas
malgré ce que tu crois. Con, ma chérie, mais pas égoïste.
Idiot, macho, tout ce que tu veux, mais pas égoïste. Je n'ai
rien conservé pour moi, sinon les souvenirs. Quand on
ne meurt pas, on vit pour ne pas faire de chagrin à ceux
qui vivent. Ou encore parce qu'on est habitué à vivre,
comme à respirer, marcher, toutes activités absolument
vides de sens.

La mer est comme je l'aime, rugueuse, comme une
ennemie de la terre qui attaque, sombre, moutonneuse.

Une amie tient ma main. C'est aussi la main de maman, de ma fille, de ma petite-fille, des frères et des sœurs, de quelques amis, de ta mère et de ton père, de ta famille, de ma filleule, des dizaines de mains qui tiennent la mienne et qui m'obligent à vivre. Ce n'est pas tant qu'ils aient un besoin quotidien de moi, mais ma disparition leur causerait chagrin et, dans certains cas, douleur. Je n'ai pas envie de vivre, mais j'ai envie de tous ces gens. Tu ne le sais pas, tu ne l'as jamais su. Je les aimais aussi mal que toi, peut-être, mais je les aimais et, comme ils ne m'ont pas quitté, je tiens leurs mains qui m'obligent à vivre.

la vie

Je vis quand je dis je t'aime. Je meurs quand je dis je t'aime puisque tu ne l'entends pas et que tu ne vois pas le geste doux de la main que j'ai appris. Quand je t'écris, on dirait qu'il y a un chat dans ma gorge. Un souvenir du cancer qui est venu en même temps que ton départ.

Bon, je suis devant cette mer et je sais que la mort n'est pas imminente. Mais devant moi il n'y a que le noir de cette mer et cette main amie qui tient la mienne. Vivre encore, pourquoi, pour qui ?

Je crois avoir découvert que l'humain est né pour vivre, comme la brique est façonnée pour faire partie d'un ouvrage de maçonnerie. Une sorte de mécanisme, de fonctionnalité l'anime. Ce n'est pas « le dur désir de durer » dont parle Éluard, qui est le lot de ceux qui entretiennent encore espoir. Vivre est un réflexe pour des milliards d'entre nous qui sont malheureux, mais nous ne nous suicidons pas. Nous vivons parce que nous sommes vivants. Comme les animaux que nous sommes aussi.

Qu'ai-je appris de ma fréquentation de ces deux morts ? Que la gentillesse épuise moins que la méchanceté et l'acrimonie. Que l'intransigeance des principes et des valeurs peut sourire sans que sa fermeté ne s'affaiblisse et ne s'étiole. Que la misanthropie est un suicide qui se poursuit toute une vie. Qu'une caresse retenue est une forme d'avarice médiocre. Que l'amoureux ne l'est vraiment que si l'objet de son amour le sent, le perçoit, même dans ses faiblesses et ses manques.

Est-ce le frôlement de la mort comme un papillon de nuit qui tournoie près de la lampe de chevet ou ton départ, cet abîme, qui m'a appris ces choses ? Je ne sais pas. Je découvre que la vie qui continue, cette vie physique que m'ont redonnée les rayons magiques, n'est rien d'autre que cette petite chose fragile, un cœur qui continue de battre, de pomper du sang des veines jusqu'au cerveau. Pour un médecin, cela a un sens remarquable et exemplaire. Pour le vivant, cela n'est pas certain.

La fréquentation de la mort, dit-on, du moins dans ma famille, transforme les petits plaisirs en extases ou en paradis. Cela doit s'appliquer à ceux qui perdraient bonheur en même temps que vie, de telle sorte que chaque minute arrachée au noir final luit comme un soleil ou une étoile. Quand le médecin m'a annoncé cette prolongation de vie, cela a été comme si j'entendais une voix anonyme dans une gare qui annonce que le train est à l'heure. Août était chaud et humide, enfin, comme un été montréalais. Le chauffeur de taxi était haïtien. Le ciel gris de smog. La rue Bernard envahie de fausses blondes et d'hommes portables. Mon appartement toujours aussi vide. Mes rêves toujours aussi anéantis.

Le vol des oiseaux ne me charme pas plus qu'avant, ni le bourdonnement des abeilles et le bruissement des feuilles dans l'érable qui ombrage le balcon de ma tanière temporaire. Je vois maman qui admire ses souvenirs vivants et cela l'émeut, la porte aux larmes, parce qu'elle se demande si c'est la dernière fois. Voilà une véritable peur de mourir qui rend les enfants plus beaux et plus attendrissants et qui probablement transforme tout en bonheur nouveau, plus intense que l'ancien. J'imagine que, chaque fois qu'elle nous quitte, maman nous aime encore plus que la dernière fois. Parce qu'elle va nous perdre...

la vie

Valérie écoute avec une attention toute professionnelle. Je suis le seul client et elle m'aime bien. Elle pose parfois sa main sur la mienne par affection ou compassion. Elle a des mèches et un décolleté idoine. Des mains rugueuses. Violaine avait les mains douces. Mais Valérie ne me renvoie pas à Violaine. J'ai compris quand le médecin m'a annoncé que je vivrais encore que Violaine était morte et moi aussi. Je serre sa main un peu. Elle rougit, mais ne la retire pas.

— Tu crois qu'on peut inventer l'amour?

— Non.

Je lui explique que je sais tout maintenant de l'amour, de ses pièges et de ses secrets, que Violaine en me quittant m'a donné le cours 101, 202, 303, etc. de l'amour bien vécu.

— Qu'est-ce que tu sais de l'amour?

— Rien, et ça me fait peur.

— Tu as raison, c'est la chose la plus effrayante qui

soit. Mais parlons d'un petit amour qui ne s'appelle pas l'amour, ce que la majorité des gens vivent, cela peut s'inventer, tu ne crois pas ?

Elle a un petit amour et le petit amoureux arrive. Elle s'excuse. Je paye.

« Je ne veux pas mourir seul. » C'est un de mes personnages qui prononce cette phrase. Il a moins de quarante ans et regarde la mer. Il ne sait rien de la vie, ce personnage, et surtout rien de l'amour. Je connais maintenant tout de l'amour et je ne veux pas mourir seul.

Inventer la vie pour ne pas mourir. Je suis condamné à la fiction. Je vais donner un amour inventé.

Impossible de vivre sans au moins les gestes et les rituels qui accompagnent l'amour. Appelons cela l'amour de l'amour. Je crois que je peux inventer un amour pour quelqu'un qui en aurait besoin, et cela, cette invention, ce roman vécu, contemplé, me donnerait une raison de vivre en attendant que maman meure.

la vie

Avant de partir pour Trois-Rivières, j'ai rêvé à cette maison que nous n'avons pas achetée en Bretagne. C'est une longère traditionnelle férocement accrochée à sa falaise. Pierres finement taillées, volets bleus, toit d'ardoises grises. Devant, autour, dans le jardin, un feu d'artifice d'hortensias. La maison m'a fait jardinier, et nous avons une fille qui s'appelle Mélodie et qui sera chanteuse ou ostréicultrice, peu importe. La maison m'a fait jardinier, et Violaine se réjouit de me voir plongé dans le concret quotidien. Je consulte à propos des fleurs, je lis, je m'émerveille, et le bonheur de Mélodie me rend le pouce plus vert de jour en jour, moi qui négligeais d'arroser les plantes. Devant la maison, un champ de blé doré qui coule jusqu'à la mer comme une rivière. On m'annonce un cancer. Je possède tout pour ne pas m'en faire trop : Violaine, Mélodie, cette maison qui a deux cents ans, les nouveaux hortensias veinés de fuchsia et de bleu, le son de la tempête, la rivière de blé. Je sais que si j'en meurs, ce sera heureux de ce que je laisse.

La route est morne et laide entre Montréal et Trois-Rivières. Sauf quand on longe durant quelques minutes les berges du lac Saint-Pierre et que de grands vols d'oiseaux se posent sur des terres marécageuses. Je dois prononcer une conférence sur la justice internationale au collège Laflèche. Depuis trois ans que je ne suis pas mort de maladie, mais mort de vie, j'ai publié quelques livres, dont un roman qui s'inspire de ce sujet. Maman ne veut pas mourir et me force à durer. J'ai réservé une chambre au Delta même si je pourrais rentrer facilement après l'événement et le dîner obligatoire avec le prof qui m'a invité. Illusion de voyager, illusion de vivre. D'être ailleurs que dans cet appartement où tu n'es pas.

C'est une ville triste, comme marquée par la misère, mais dotée d'une étrange beauté. Une beauté *trash*. Détruite par toutes les crises industrielles. Une rue, la rue des Forges, quelques restaurants, des cafés qui fonctionnent tant bien que mal. Une boutique de produits naturels. Tout autour, des maisons en bardeaux d'aluminium, des taudis corrects. Une ville qui ne vit nulle part entre Montréal et Québec.

Mais quelques fous vivent dans cette ville monotone, quelques fous de poésie. Des résistants, des troglodytes, je ne sais trop, qui croient en la magie des mots. Chaque année, ils sont cent à dire et mille à dire et à écouter. Un récital de poésie au Manoir du spaghetti — il faut le faire, non? —, il faut l'imaginer et il faut surtout que les poètes viennent de partout. Cette ville calamiteuse résonne durant dix jours de tous les plus beaux poèmes de la terre. Dans l'autobus, je me suis dit que j'irais saluer Judith, une libraire qui fait partie de ces fous. La soirée serait moins triste. Recherche de l'illusion de vivre.

Judith a toujours vécu dans cette morne ville qui ferme à dix heures le soir. Elle tient une librairie comme on garde un phare isolé sur un îlot défiant les tempêtes et la solitude. Judith, quand j'étais marié, m'avait invité pour faire une lecture. Je me souviens d'une femme jolie mais surtout follement amoureuse des livres, de tous les livres, qui organise des rencontres, un club de lecture, des thés littéraires. Ils étaient douze pour ma lecture. Elle s'était excusée de la piètre assistance, m'avait offert un repas largement au-dessus de ses moyens en guise de compensation pour si peu de lecteurs. Je ne comprenais pas son sentiment de culpabilité. Elle portait sur ses épaules la tristesse de sa ville et la sienne propre. Je parlais de mon bonheur et elle évoquait son malheur. Elle le faisait avec nuance. J'avais compris que son couple se défaisait, doucement mais sûrement. Des yeux noirs, des lèvres charnues, une manière de rire de ses propos comme pour les rendre moins sérieux, non, moins tragiques. Une capacité de parler calmement d'une énorme douleur. J'étais charmé, j'aurais pu être tenté de la séduire, mais j'étais amoureux. Et ce soir-là, pour des raisons mystérieuses, Violaine me manquait plus que jamais.

Je ne sais même pas si la librairie de Judith existe toujours. Ce que je sais maintenant, c'est qu'il n'y avait pas vraiment de couple. Juste un amour fou, échevelé, déraisonnable né du Festival international de poésie. Un poète chilien qui était, comme tous les poètes de ce continent, une sorte de caricature de ce qu'est un poète. La chevelure d'ébène qui tombe sur les épaules, les rires fous qui succèdent aux abîmes de la tristesse. La mise en scène de tous les excès de la vie. Judith, dans cette morne ville, avait succombé. Raúl était demeuré une semaine de plus après sa prestation dans sa librairie, était revenu deux fois par la suite. La première, pour voir l'enfant que sa poésie bolivarienne avait engendré, la deuxième parce qu'il était réinvité par le Festival qui adorait sa grandiloquence, ses gestes amples, son allure de poète. Ce que je sais, c'est ce que Judith m'avait dit. « J'aimerais bien un homme comme vous. » Elle ne savait pas combien à l'époque je ne savais pas aimer.

Nous parlons depuis une heure seulement, des paroles en teintes discrètes qui évoquent plus qu'elles ne disent, pleines de sous-entendus et de non-dits, sauf cette dernière phrase qui est prononcée sur un trottoir glacé, qui s'accompagne d'une sorte de baiser furtif qui se pose sur la joue et glisse par erreur peut-être jusqu'à la commissure des lèvres, une main qui tient la mienne pour que je ne glisse pas probablement car le trottoir est une patinoire que cette ville pauvre ne déglacera que le lendemain.

Quand j'ai appris que je ne mourrais que de l'absence de toi et non pas de ces cellules folles qui avaient empesté ma vie et ma pensée durant des mois, je me suis souvenu de Judith, mais je n'ai rien fait. Je pourrais bien lui donner l'amour, me suis-je dit. Et en retour, je vivrais dans le rituel amoureux que je sais maintenant entretenir. Je ne veux pas en faire une construction ou une démonstration, ma chérie, parce que je te parle pendant que je marche sur ce trottoir gris, je sais, je comprends. L'homme qui t'aime n'a pas le droit de dire qu'il ne fait pas froid quand tu prétends frissonner, l'homme qui t'aime doit regarder ces nouveaux souliers avec les yeux qui les ont achetés et entendre tous les petits désirs, les petites inquiétudes, les insécurités. L'homme se mesure aux événements importants, les catastrophes, les froids sibériens, les crashs économiques. Qu'a-t-il à faire d'un courant d'air qui te fait frissonner, qui t'attire vers lui, qui te rend si fragile. L'homme dit : « Fermons la porte. » Tu dis prends-moi dans tes bras. Voilà pourquoi tu n'es plus là. J'ai fermé la porte pour éliminer le courant d'air en oubliant que ton frisson ne venait pas du froid mais de mon indifférence pour ton frisson même si tu l'avais inventé.

La librairie existe toujours.

Et Judith est toujours aussi seule. Elle lit. Une cloche tinte quand j'ouvre la porte. Elle dépose ses lunettes sur le comptoir, puis les remet. « Vous faites quoi ici ? » Je suis venu la voir. Comment va-t-elle. Ça va.

Et vous? Ça va. Et la librairie? Ça va. « Vous êtes venu me voir pourquoi? »

Ce qui me semblait si simple devient absurde. Je ne vais pas dire à cette femme : « Je suis venu pour vous donner l'amour. » Elle lit Gaston Miron. Je lui parle de nos engueulades chaleureuses abreuvées d'alcool. « Vous buvez trop. » Judith a dit cela avec dans la voix une tristesse semblable à la tienne que je n'avais pas reconnue à l'époque. Nul client ne se présente, j'arpente, je bouquine, prononce quelques mots, demande un avis à propos d'un auteur inconnu. Je devrais rentrer à Montréal. Judith dit : « J'ai assez vendu pour vous inviter à dîner. » Je proteste, elle insiste. Ce n'est pas tous les jours qu'elle reçoit une visite aussi inattendue et aussi plaisante.

Je commande de l'eau minérale. Elle sourit en prenant ma main : « Je voudrais bien boire du vin. » C'est le même restaurant qu'à notre première rencontre. Elle en boit plus que moi et commande une deuxième bouteille.

« Alors? »

Alors. Je crois Judith que vous n'aurez jamais d'autre amour que Raúl et moi que Violaine. Cela ne doit pas nous condamner à la sécheresse et à la solitude permanente. Ce n'est pas parce que nous aimons tragiquement que nous devons vivre dans un désert de caresses et de sourires. Nous méritons mieux que nos solitudes que nous n'aimons pas. Elle sourit timidement.

Son appartement réunit dans un même lieu tout ce que je n'aime pas. De vagues antiquités paysannes, des peintures naïves, des jaunes et des ocres sur les murs qui me choquent. Mais le sofa est profond, confortable. Je m'y installe, oui, c'est exactement ce que j'ai fait, m'installer, faire un trou à force de m'asseoir toujours au même endroit. J'avais bu un peu et elle plus que de coutume. Judith s'est assise puis a mis sa tête sur mon épaule. « Parle-moi de Violaine. » J'ai parlé au moins une heure, surpris parfois par mes propos. Je ne savais pas que je l'aimais autant. Et elle me parla de Raúl, de sa rage de vivre, de sa passion pour les mots, pour la magie des mots. Au rythme des confidences, des caresses, douces, presque respectueuses. Nous sommes bien pareils, effrayés par le manque d'amour ou de ses gestes. Elle n'avait pas fait l'amour depuis deux ans, moi depuis trois ans. Nous n'avions pas un désir de sexe mais un désir d'affection profonde. Cela se fit lentement, dans un silence religieux. La douceur de nos gestes allait définir notre avenir. Il n'y eut pas d'orgasme, seulement un affaissement du corps repu et un sourire. « Merci, tu peux rester si tu veux. » J'ai pensé à Violaine et elle a pensé à Raúl. Je le sais. Nous gardions nos amours en réserve comme des matrices de ce que nous sommes, pour savoir qui nous sommes, pour nous trouver, peut-être.

Je me suis levé et je suis allé m'asseoir dans le sofa. Le trou que je faisais me convenait et la douceur de Judith m'enchantait.

Je vis depuis deux ans à Trois-Rivières. Je ne m'ennuie pas de Montréal. Parfois, Judith disparaît pour une semaine ou deux. Elle rejoint Raúl. Je ne vois jamais Violaine. Quand Judith s'absente, je m'occupe de la librairie et tente de vendre les livres que j'aime, je fais aussi les devoirs avec sa fille de Raúl et lui écris des histoires. J'ai un projet de restaurant littéraire dans lequel les plats seraient accompagnés d'un livre ou, si le client est pressé, d'un extrait de livre sur une seule page. Quand je m'installe dans le trou du sofa que j'ai fini par creuser vraiment pour lire un livre que Violaine aimait, je me dis que c'est bien d'inventer la vie pour ne pas mourir.

Et nous savons que tout cela est un doux mensonge. Si Raúl revient, si Violaine revient, tout est fini. Mais, nous en sommes certains, ils ne reviendront pas. Nous continuons à inventer la vie.

Ça va. Nous n'avons pas pleuré depuis deux ans.

Et je sais comment imiter l'amour.

Maman sera bientôt centenaire. La nuit je rêve à Violaine, mais je ne le dis jamais à Judith.

CRÉDITS ET REMERCIEMENTS

Les Éditions du Boréal reconnaissent l'aide financière du gouvernement
du Canada par l'entremise du Programme d'aide au développement
de l'industrie de l'édition (PADIÉ) pour ses activités d'édition et remercient
le Conseil des Arts du Canada pour son soutien financier.

Les Éditions du Boréal sont inscrites au Programme d'aide aux entreprises
du livre et de l'édition spécialisée de la SODEC et bénéficient du Programme
de crédit d'impôt pour l'édition de livres du gouvernement du Québec.

EXTRAIT DU CATALOGUE

Gil Adamson
La Veuve

Georges Anglade
Les Blancs de mémoire

Emmanuel Aquin
Désincarnations
Icare
Incarnations
Réincarnations

Denys Arcand
L'Âge des ténèbres
Le Déclin de l'Empire américain
Les gens adorent les guerres
Les Invasions barbares
Jésus de Montréal

Gilles Archambault
À voix basse
Les Choses d'un jour
Comme une panthère noire
Courir à sa perte
De l'autre côté du pont
De si douces dérives
Enfances lointaines
La Fleur aux dents
La Fuite immobile
Les Maladresses du cœur
Nous étions jeunes encore
L'Obsédante Obèse et autres agressions
L'Ombre légère
Parlons de moi

Les Pins parasols
Les Rives prochaines
Stupeurs et autres écrits
Le Tendre Matin
Tu ne me dis jamais que je suis belle
La Vie à trois
Le Voyageur distrait
Un après-midi de septembre
Un homme plein d'enfance

Margaret Atwood
Cibles mouvantes
L'Odyssée de Pénélope

Edem Awumey
Les Pieds sales

Michel Bergeron
Siou Song

Hélène de Billy
Maurice ou la vie ouverte

Nadine Bismuth
Êtes-vous mariée à un psychopathe?
Les gens fidèles ne font pas
les nouvelles
Scrapbook

Lise Bissonnette
Choses crues
Marie suivait l'été
Quittes et Doubles
Un lieu approprié

Ce livre a été imprimé sur du papier 100 % postconsommation,
traité sans chlore, certifié ÉcoLogo
et fabriqué dans une usine fonctionnant au biogaz.

MISE EN PAGES ET TYPOGRAPHIE :
LES ÉDITIONS DU BORÉAL

CE DEUXIÈME TIRAGE A ÉTÉ ACHEVÉ D'IMPRIMER EN MAI 2010
SUR LES PRESSES DE TRANSCONTINENTAL GAGNÉ
À LOUISEVILLE (QUÉBEC).